EL
NUEVO
PACTO

EDICIÓN REVISADA Y AMPLIADA

WATCHMAN NEE · WITNESS LEE

Living Stream Ministry

Anaheim, California • www.lsm.org

Primera edición: noviembre del 2011.

ISBN 978-0-7363-4181-3

Traducido del inglés
Título original: *The New Covenant*
(Spanish Translation)

Publicado por
Living Stream Ministry
2431 W. La Palma Ave., Anaheim, CA 92801 U.S.A.
P. O. Box 2121, Anaheim, CA 92814 U.S.A.

Impreso en los Estados Unidos de América

11 12 13 14 15 16 / 9 8 7 6 5 4 3 2 1

CONTENIDO

PREFACIO

En su segunda conferencia para vencedores celebrada en octubre de 1931, el hermano Nee dio siete mensajes sobre la verdad del nuevo pacto. Estos mensajes inicialmente fueron publicados en la revista de Watchman Nee, *The Present Testimony* [El testimonio actual], ediciones 23-26, 32-33 y 36. Antes del encarcelamiento de Watchman Nee en 1952, su Librería Evangélica de Shanghái publicó una edición mejor redactada de estos mensajes. En aquel tiempo dos capítulos nuevos fueron añadidos sobre la experiencia que tenemos del nuevo pacto. Estos nuevos capítulos se basaban en mensajes que Witness Lee dio a la iglesia en Shanghái en 1949. Esta edición es una traducción de la publicación de 1952.

INTRODUCCIÓN

Lectura bíblica:

Mateo 26:28: "Porque esto es Mi sangre del pacto, que por muchos es derramada para perdón de pecados". Muchos eruditos de la antigüedad insertan la palabra *nuevo* antes de *pacto.*

Hebreos 8:8-13 "Porque encontrándoles defecto dice: 'He aquí vienen días, dice el Señor, en que concertaré con la casa de Israel y la casa de Judá un nuevo pacto; no conforme al pacto que hice con sus padres el día que los tomé de la mano para sacarlos de la tierra de Egipto; porque ellos no permanecieron en Mi pacto, y Yo me desentendí de ellos, dice el Señor. Por lo cual, éste es el pacto que haré con la casa de Israel después de aquellos días, dice el Señor: Pondré Mis leyes en la mente de ellos, y sobre su corazón las escribiré; y seré a ellos por Dios, y ellos me serán a Mí por pueblo; y ninguno enseñará a su prójimo, ni ninguno a su hermano, diciendo: Conoce al Señor; porque todos me conocerán, desde el menor hasta el mayor de ellos. Porque seré propicio a sus injusticias, y nunca más me acordaré de sus pecados'. Al decir: Nuevo pacto, ha dado por viejo al primero; y lo que se envejece y decae, está próximo a desaparecer".

Hebreos 10:16: "Éste es el pacto que haré con ellos después de aquellos días, dice el Señor: Pondré Mis leyes en sus corazones, y en sus mentes las escribiré".

Jeremías 31:31-34: "Vienen días, dice Jehová, en los cuales haré un nuevo pacto con la casa de Israel y con la casa de Judá. No como el pacto que hice con sus padres el día en que tomé su mano para sacarlos de la tierra de Egipto; porque ellos invalidaron mi pacto, aunque fui yo un marido para ellos, dice Jehová. Pero este es el pacto que haré con la casa de Israel después de aquellos días, dice Jehová: Pondré mi ley en su mente y la escribiré en su corazón; yo seré su Dios, y ellos serán mi pueblo. Y no enseñará más ninguno a su prójimo, ni ninguno a su hermano, diciendo: "Conoce a Jehová", porque todos me conocerán, desde el más pequeño de ellos hasta el más grande, dice Jehová. Porque perdonaré la maldad de ellos y no me acordaré más de su pecado".

2 Corintios 3:6: "El cual asimismo nos hizo ministros competentes de un nuevo pacto, ministros no de la letra, sino del Espíritu; porque la letra mata, mas el Espíritu vivifica".

Hebreos 13:20-21: "Ahora bien, el Dios de paz que resucitó de los muertos a nuestro Señor Jesús, el gran Pastor de las ovejas, en virtud de la sangre del pacto eterno, os perfeccione en toda obra buena para que hagáis Su voluntad, haciendo Él en nosotros lo que es agradable delante de Él por medio de Jesucristo; a Él sea la gloria por los siglos de los siglos. Amén".

(1) El nuevo pacto es la base de toda vida espiritual. Gracias al nuevo pacto, nuestros pecados pueden ser perdonados y nuestra conciencia puede tener paz. Gracias al nuevo pacto, podemos obedecer a Dios y hacer lo que le agrada. Asimismo, gracias al nuevo pacto podemos tener una comunión directa con Dios y un conocimiento interno más profundo de Él. Sin el nuevo pacto no podríamos tener la confianza de que nuestros pecados han sido perdonados. Además, nos sería difícil obedecer a Dios y hacer Su voluntad o experimentar algo más profundo que una comunión con Dios y un conocimiento de Dios superficiales y ordinarios. Pero ¡alabado sea Dios, tenemos el nuevo pacto! Y este nuevo pacto es un pacto que Él estableció; por lo tanto, podemos confiar en este pacto.

El hermano que escribió el himno "Roca de la eternidad, que por mí hendida estás" padeció de tuberculosis pulmonar por más de diez años. Mientras se hallaba muy enfermo, escribió un himno, en una de cuyas estrofas dice:

> Cuán dulce es descansar en Su fidelidad,
> Su amor jamás podrá cesar;
> Cuán dulce es Su pacto de gracia,
> En el cual podemos en todo confiar.

Él sabía lo que era un pacto. Por ello podía confiar en el pacto del Señor.

(2) El propósito eterno de Dios se pone de manifiesto en el

nuevo pacto. Por lo tanto, si alguien que pertenece al Señor no sabe lo que es el nuevo pacto, no podrá conocer por experiencia el propósito eterno de Dios. Sabemos que "reinó la muerte desde Adán hasta Moisés", y que "el pecado reinó en la muerte" (Ro. 5:14, 21). En aquella época el propósito eterno de Dios no fue revelado. Si bien Dios de antemano le anunció el evangelio a Abraham, diciendo: "En ti serán benditas todas las naciones" (Gá. 3:8), lo que vemos aquí es simplemente una sombra de la gracia, mas no la gracia misma. "La ley por medio de Moisés fue dada" (Jn. 1:17), pero la ley se introdujo, como dijéramos, junto al camino (Ro. 5:20). La ley no tiene parte alguna en el plan que corresponde al propósito eterno de Dios. "Los profetas y la ley profetizaron hasta Juan" (Mt. 11:13), pero "la gracia y la realidad vinieron por medio de Jesucristo" (Jn. 1:17). Por consiguiente, no fue sino hasta Cristo que tuvo inicio la era de la gracia y llegó a existir el nuevo pacto, lo cual nos permite ver el propósito eterno de Dios.

El propósito eterno de Dios se revela en el nuevo pacto. Por lo tanto, es menester que conozcamos el nuevo pacto, pues sólo así podremos esperar que se cumpla el propósito eterno de Dios en nosotros. Si no conocemos el nuevo pacto, perderemos de vista el eje de la salvación. En el mejor de los casos, sólo podremos captar un tanto de la periferia. Pero si conocemos algo del nuevo pacto, podremos declarar que hemos encontrado un gran tesoro en el universo.

¿En qué consiste el propósito eterno de Dios? En palabras sencillas, el propósito eterno de Dios es forjarse en el hombre que creó. El deleite de Dios es entrar en el hombre y unirse con el hombre a fin de que éste posea Su vida y Su naturaleza. Antes de la fundación del mundo, es decir, en la eternidad, antes de que existiera el tiempo, antes de crear el cielo y la tierra y antes de crear todas las cosas y el linaje humano, Él tenía en Su ser dicho propósito. Él quería que el hombre obtuviera Su filiación; deseaba que el hombre fuera igual a Él; deseaba que el hombre fuera glorificado (Ef. 1:4, 5; Ro. 8:30). Por este motivo, cuando creó al hombre, lo creó a Su propia imagen (Gn. 1:27).

En el principio, en el huerto de Edén, vemos el árbol de la vida y el árbol del conocimiento del bien y del mal. Dios puso al hombre que había creado en el huerto de Edén. La única prohibición que le hizo era que no comiera del árbol del conocimiento del bien y del mal; en otras palabras, le dio a entender que debía comer del fruto del árbol de la vida. Sin embargo, esto requería que el hombre lo eligiera. Conforme a la revelación de las Escrituras, sabemos que el árbol de la vida denota a Dios mismo (Sal. 36:9; Jn. 1:4; 11:25; 14:6; 1 Jn. 5:12). Si el hombre hubiese comido del árbol de la vida, habría recibido la vida, y Dios habría entrado en él. Pero, como sabemos, el primer hombre que Dios creó, es decir, el primer Adán, fracasó y cayó. Su fracaso no sólo consistió en no recibir la vida de Dios, sino que además de esto, comió del árbol del conocimiento del bien y del mal y fue separado de Dios, quien da vida. Sin embargo, hoy debemos darle gracias a Dios y alabarlo, porque aunque el primer hombre fracasó y cayó, el segundo hombre, es decir, el postrer Adán (1 Co. 15:45, 47), llevó a cabo el propósito eterno de Dios.

En el universo hay al menos una persona que está mezclada con Dios; ése es Jesús nazareno, quien es al mismo tiempo Dios y hombre, y hombre y Dios. Éste es el Señor Jesús, el "Verbo" que "se hizo carne, y fijó tabernáculo entre nosotros [...], lleno de gracia y de realidad" (Jn. 1:14). Aunque nadie ha visto a Dios jamás, hay una persona, el Hijo unigénito que está en el seno del Padre, el cual le ha dado a conocer (v. 18). Él es tanto Dios como hombre, y la intención de Dios es forjar a esta persona en el hombre. Dios desea que el hombre sea hecho conforme a la imagen de Su Hijo (Ro. 8:28, 29), y llevar al hombre a la condición que Él deseaba, una condición en la cual pueda agradar a Dios. Éste es el propósito eterno de Dios, éste es el nuevo pacto.

(3) Nosotros afirmamos que hoy estamos en la era del nuevo pacto. Pero ¿qué significa esto? Por ahora sólo podemos hablar de esto brevemente, pero en el capítulo 3 hablaremos más detalladamente. Sabemos que Dios nunca hizo un pacto con los gentiles. Puesto que nosotros, los gentiles, no tenemos un antiguo pacto, ¿cómo podemos tener un nuevo pacto? Hebreos 8:8 dice claramente que un día Dios hará un nuevo pacto con la casa de Israel y con la casa de Judá. Hablando con propiedad, este pacto no será establecido sino "después de

aquellos días" (v. 10), lo cual se refiere al comienzo del milenio. Si esto es así, ¿cómo podríamos decir que hoy estamos en la era del nuevo pacto? Es debido a que el Señor trata a la iglesia conforme al principio del nuevo pacto, es decir, pone la iglesia bajo el principio del nuevo pacto. Él desea que la iglesia tenga tratos y negociaciones con Él conforme a este pacto hasta que Él logre lo que Él desea realizar.

El Señor dijo: "Esto es Mi sangre del pacto..." (Mt. 26:28). Él estableció el nuevo pacto con Su sangre, a fin de que pudiésemos gustar de un anticipo de las bendiciones del nuevo pacto. Es por eso que decimos que hoy estamos en la era del nuevo pacto. Esto se debe a la gracia especial del Señor. Por consiguiente, debemos saber en qué consiste el nuevo pacto en términos de la experiencia, porque sólo de esta manera podremos declarar que somos los que viven en la era del nuevo pacto.

(4) A fin de conocer en qué consiste el nuevo pacto, debemos primeramente saber lo que es un pacto. Además, a fin de conocer lo que es un pacto, primero debemos saber cuáles son los hechos de Dios y Sus promesas. Por consiguiente, debemos empezar por hablar acerca de los hechos y las promesas de Dios. Entonces, podremos proseguir para ver cuál es el pacto que Dios ha hecho y Su nuevo pacto, y cuáles son las características del contenido del nuevo pacto. También hablaremos específicamente de cómo la ley fue puesta en el hombre y escrita en su corazón, cuál es el poder con que opera la vida en nosotros, cómo Dios llegó a ser nuestro Dios conforme a la ley de vida, y cómo nosotros podemos tener el conocimiento subjetivo, a fin de conocer a Dios de una manera más profunda.

Capítulo uno

LAS PROMESAS Y LOS HECHOS DE DIOS

En la Palabra de Dios encontramos algunos pasajes que hablan de las responsabilidades que Dios le exige al hombre, y otros que hablan de la gracia que Dios le concede al hombre. En otras palabras, existen pasajes que hablan de los requisitos de Dios y otros que hablan de la gracia de Dios. Por ejemplo, el deseo que Dios tiene de que el hombre lleve ciertas responsabilidades se pone de manifiesto en muchos mandamientos, leyes y enseñanzas. Éstos son requisitos que Dios le impone al hombre. Por otra parte, tenemos las bendiciones espirituales en los lugares celestiales (Ef. 1:3) y la herencia incorruptible, incontaminada e inmarcesible, reservada en los cielos para nosotros (1 P. 1:4). Éstas son las cosas que Dios se complace en darnos y las cuales Él ha cumplido por nosotros; ésta es la gracia que Dios nos ha concedido.

En cuanto a la gracia, la Palabra de Dios puede resumirse en tres categorías: (1) las promesas de Dios a nosotros; (2) los hechos que Dios ha cumplido por nosotros; y (3) los pactos que Dios ha hecho con el hombre, los cuales Él mismo ciertamente cumplirá definitivamente. Las promesas de Dios son diferentes de los hechos de Dios. Las promesas de Dios y los hechos de Dios también son diferentes de los pactos de Dios. Los pactos de Dios abarcan las promesas de Dios y los hechos de Dios. La siguiente tabla indica esto:

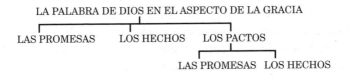

LA PALABRA DE DIOS EN EL ASPECTO DE LA GRACIA

LAS PROMESAS   LOS HECHOS   LOS PACTOS

LAS PROMESAS LOS HECHOS

LAS PROMESAS DE DIOS

Ahora veamos lo que significan las promesas de Dios. Una promesa es diferente de un hecho. Una promesa se relaciona con el futuro, mientras que un hecho se relaciona con el pasado. Una promesa es algo que uno promete hacer, mientras que un hecho es algo que ya fue realizado. Las promesas de Dios indican que Él hará algo para el beneficio del hombre, mientras que Sus hechos aluden a lo que Dios ya ha hecho por el hombre. Una promesa significa que si usted hace esto y lo otro, entonces yo haré esto y lo otro. En cambio, un hecho indica que Dios nos ama y que, conociendo nuestra impotencia, ha llevado a cabo algo por nosotros. Muchas de las promesas son condicionales. Si cumplimos con las condiciones, recibiremos lo que se ha prometido. Los hechos no requieren que hagamos súplicas, sólo necesitamos ver y creer que los hechos son hechos.

Los siguientes ejemplos nos ayudarán a ver la diferencia que existe entre una promesa y un hecho. Por ejemplo, el Señor Jesús consoló a los discípulos diciendo: "No se turbe vuestro corazón; creéis en Dios, creed también en Mí [...] voy, pues, a preparar lugar para vosotros. Y si me voy y os preparo lugar, vendré otra vez, y os tomaré a Mí mismo" (Jn. 14:1-3). Esto es una promesa. Y llegó a ser un hecho cuando el Señor vino otra vez como el Espíritu.

Más tarde, el Señor les dijo a los discípulos: "Os conviene que Yo me vaya; porque si no me voy, el Consolador no vendrá a vosotros; mas si me voy, os lo enviaré" (Jn. 16:7). Esto es una promesa. Esta promesa llegó a ser un hecho el día de la resurrección del Señor cuando sopló en sus discípulos y les dijo: "Recibid el Espíritu Santo" (20:19-22).

Una vez más, el Señor Jesús les dijo a Sus discípulos: "He aquí, Yo envío la promesa de Mi Padre sobre vosotros; pero quedaos vosotros en la ciudad, hasta que seáis investidos de poder desde lo alto" (Lc. 24:49). Esto es una promesa dentro de una promesa. El Espíritu Santo vino el Día de Pentecostés (Hch. 2:1-4). En aquel entonces esta promesa llegó a ser un hecho. Sin embargo, esta promesa tenía una condición: los discípulos tenían que permanecer en la ciudad.

Consideremos otro ejemplo para mostrar la diferencia que existe entre una promesa y un hecho. Supongamos que A y B son amigos. El amigo A se enfermó y no podía trabajar; y no tenía dinero para comprar las cosas que necesitaba. El amigo B amaba a A y le dijo: "Mañana vendré por la mañana para hacer tu trabajo y te traeré dinero para comprar las cosas que necesitas". Ésta era la promesa que le hizo B a A. La mañana siguiente B vino a la casa de A para trabajar y también para darle dinero con el cual comprar las cosas que necesitaba. Esto significa que la promesa que B le hizo a A llegó a ser un hecho. Si A creía en la promesa de B, es decir, si creía que las palabras de B eran confiables, él tendría esperanza y reposo desde el día que le hizo la promesa, y al día siguiente podría disfrutar de ella de manera práctica.

Los principios que rigen las promesas de Dios

La Palabra de Dios nos muestra varios principios que rigen Sus promesas. Veamos algunos ejemplos:

(1) " 'Honra a tu padre y a tu madre', que es el primer mandamiento con promesa; 'para que te vaya bien, y seas de larga vida sobre la tierra' " (Ef. 6:2-3). Esta promesa es *condicional*. No a todos les irá bien y serán de larga vida; sólo aquellos que honran a sus padres les irá bien y serán de larga vida. Si una persona no cumple con la condición mencionada aquí, no recibirá la bendición prometida de bienestar y de larga vida.

(2) "Ahora pues, Jehová Dios, que se cumpla la palabra que le diste a David, mi padre" (2 Cr. 1:9). La palabra que se tradujo "cumpla" se puede también traducir "promesa". Esto significa que necesitamos *pedirle a Dios que cumpla* Su promesa; es decir, la promesa requiere de nuestra oración para que se pueda cumplir (cfr. 1 R. 8:56).

(3) "Conforme al número de los días, de los cuarenta días que empleasteis en reconocer la tierra, cargaréis con vuestras iniquidades: cuarenta años, un año por cada día. Así conoceréis Mi castigo" [o, la anulación de Mi promesa] (Nm. 14:34). Esto significa que si un hombre no le es fiel a la promesa de Dios y no cumple con las condiciones que la acompañan, la promesa *puede ser revocada*. Por ejemplo, de todos los hijos de Israel que salieron de Egipto, sólo Caleb y Josué entraron en

Canaán. El resto murió en el desierto (26:65). Esto muestra que Dios revocó Su promesa a aquellos que le fueron infieles. En cuanto a Jacob y a José, aunque murieron en Egipto, fueron sepultados en Canaán. Puesto que fueron fieles a Dios incluso hasta la muerte, Dios no revocó Su promesa (Gn. 46:3-4; 49:29-32; 50:12-13, 24-25; Jos. 24:32).

(4) "Porque no por medio de la ley fue hecha a Abraham o a su descendencia la promesa de que sería heredero del mundo, sino por medio de la justicia de la fe. Porque si los que son de la ley son los herederos, vana resulta la fe, y anulada la promesa" (Ro. 4:13-14). Esto significa que si un hombre, aparte de Dios, actúa mediante la fuerza de su carne o le añade algo a la promesa, es posible que la promesa sea anulada.

(5) "Y todos éstos, aunque alcanzaron buen testimonio mediante la fe, no recibieron la promesa; proveyendo Dios alguna cosa mejor para nosotros, para que no fuesen ellos perfeccionados aparte de nosotros" (He. 11:39-40). Y, "porque os es necesaria la perseverancia, para que habiendo hecho la voluntad de Dios, obtengáis la promesa" (10:36). Esto significa que debemos *perseverar* hasta un tiempo designado y entonces obtendremos lo que Dios ha prometido.

Con base en estas Escrituras vemos los siguientes cuatro principios que rigen las promesas de Dios: (1) la promesa de Dios requiere de nuestra oración para que se pueda cumplir; (2) si la promesa de Dios es condicional, el hombre debe cumplir con tales condiciones a fin de recibir la promesa; de no ser así, la promesa puede ser revocada; (3) si, aparte de la promesa de Dios, el hombre usa la fuerza de su carne para actuar o para añadir algo, la promesa puede ser anulada; (4) las promesas de Dios se cumplen cuando Dios así lo dispone.

Cómo se cumple en nosotros la promesa de Dios

¿Cómo se cumple en nosotros la promesa de Dios? Cada vez que vemos una promesa en la Palabra de Dios debemos orar de todo corazón. Debemos orar hasta que el Espíritu de Dios se active en nosotros de tal modo que muy profundo en nuestro ser interior sintamos que esta promesa de Dios está dirigida a nosotros. Si no hay una condición sujeta a esta promesa, de inmediato podemos ejercitar nuestra fe para recibirla, creyendo que Dios actuará según Su promesa y cumplirá en nosotros lo que prometió. Entonces, podemos alabar y agradecer a Dios inmediatamente. En cambio, si la promesa tiene ciertas condiciones debemos cumplirlas. Después de ello, acudimos a Dios por medio de nuestras oraciones y le pedimos que actúe según Su fidelidad y justicia, a fin de que cumpla Su promesa en nosotros. Una vez hayamos orado hasta el punto que la fe brota en nuestro interior, ya no necesitamos orar más. Podemos comenzar a alabar y a dar gracias a Dios. Poco tiempo después, veremos que las promesas de Dios realmente se están cumpliendo en nosotros.

A continuación citamos algunos ejemplos:

(1) Al principio de cada año, varias hermanas de cierta localidad tenían el hábito de pedirle a Dios que les diera una promesa, la cual les serviría de sostén durante ese año. Una de las hermanas sentía que ella era muy débil y le contó al Señor su situación. El Señor le dio estas palabras: "Cristo [...] no es débil para con vosotros, sino que es poderoso en vosotros" (2 Co. 13:3). Cuando ella recibió estas palabras, se volvió fuerte. Otra hermana era propensa a preocuparse; siempre que ella consideraba el pasado o el futuro, sentía mucho temor. Ella también le contó su situación al Señor, y el Señor le dio esta promesa: "No temas, porque Yo estoy contigo; no desmayes, porque Yo soy tu Dios que te esfuerzo; siempre te ayudaré, siempre te sustentaré con la diestra de Mi justicia" (Is. 41:10). Las cinco menciones de la palabra "Yo" y las tres declaraciones de lo que Dios prometió hacer en este versículo de la Palabra de Dios hicieron, por una parte, que esta hermana se humillara y adorara a Dios y, por otra, que se pusiera tan alegre que alabó al Señor hasta con lágrimas. Más adelante, cuando ella se encontró con dificultades y pruebas, le leyó esta palabra de nuevo a Dios e incluso se la leyó a sí misma. La Palabra de Dios realmente la estableció, le ayudó y la sustentó por muchos años.

Estas hermanas tenían muchas historias similares a éstas. Las promesas que Dios les dio a cada una de ellas satisfacían exactamente sus necesidades. Sinceramente le pidieron a Dios que les diese una promesa, y la obtuvieron. Al final del año, cuando consideraban la gracia del Señor, podían testificar que la promesa de Dios verdaderamente les había consolado y sostenido muchas veces a lo largo de ese año.

(2) Otra hija de Dios, debido a las necesidades que tenía en su vida, le pidió al Señor que le diera una promesa. Un día ella leyó estas palabras: "Sea vuestra conducta sin amor al dinero, satisfechos con lo que tenéis ahora; porque Él dijo: 'No te desampararé, ni te dejaré'" (He. 13:5). Estas palabras le sorprendieron y al mismo tiempo la pusieron alegre. Esta promesa es condicional: no debemos codiciar y debemos estar contentos con lo que tenemos; entonces el Señor no nos desamparará ni nos dejará. Ella dijo: "¡Amén y amén!" a esta promesa. Durante los veinte años que han pasado desde entonces, por un lado, ella ha guardado el principio de que si no se trabaja, tampoco se come (2 Ts. 3:10); por otro lado, el Señor realmente ha hecho que el puñado de harina que tenía en la tinaja y el poco aceite que había en su vasija no se agotara ni fuera insuficiente. Ciertamente, el Señor no la ha desamparado ni la ha abandonado.

(3) También está el caso de otra hermana que había estado enferma por muchos años. Cuando estaba muy desesperada, se acordó de Romanos 8:13: "Porque si vivís conforme a la carne, habréis de morir; mas si por el Espíritu hacéis morir los hábitos del cuerpo, viviréis". Esto la hizo ver las cosas de un modo diferente. Le hizo frente a todo lo que ella debía de confrontar según la luz que el Señor le dio. Sin embargo, su cuerpo seguía enfermo. Entonces un día oró: "Señor, si Romanos 8:13 son las palabras que me has dado, te pido que me concedas otra promesa". Entonces ella confesó su debilidad y su incredulidad. En ese momento, en lo más profundo de su ser, parecían resonar estas palabras: "Dios no es un hombre; Él no miente". Ella no sabía si tales palabras se encontraban en las Escrituras. Entonces, buscó en una concordancia, y encontró que en Números 23:19 en verdad estaban tales palabras: "Dios no es hombre, para que mienta, ni hijo de hombre para que se arrepienta. ¿Acaso dice y no hace? ¿Acaso promete y no cumple?". Con esto su corazón se llenó de alegría y su boca con alabanzas. Por tanto, Dios también hizo que cesara su enfermedad.

(4) Han habido algunos hijos de Dios que en cierta etapa de su vida espiritual entraron en la experiencia descrita en el

salmo 66. Por una parte, parecía que: "Nos metiste en la red; pusiste sobre nuestros lomos pesada carga. Hiciste cabalgar hombres sobre nuestra cabeza" (vs. 11-12a). Pero, por otra parte, Dios también les dio esta promesa: "¡Pasamos por el fuego y por el agua, pero nos sacaste a la abundancia!" (v. 12b). Esto los consoló y estableció.

(5) Hay muchos hijos de Dios que han sido asediados por pruebas. Algunos de ellos siempre que oraban, se encontraban con esta promesa que los consolaba y establecía: "No os ha sobrevenido ninguna tentación que no sea humana; pero fiel es Dios, que no os dejará ser tentados más de lo que podéis, sino que dará también juntamente con la tentación la salida, para que podáis soportar" (1 Co. 10:13).

(6) Cierto siervo del Señor pasaba por una gran prueba, y le parecía que una imponente montaña se erguía frente a él. Había tratado de subir esta montaña hasta agotarse, al punto de estar desesperado; y había llegado al punto donde pensó que le quedaba muy poco dentro de él como para poner los ojos en Dios. Pero las palabras "hasta esta hora" y "hasta ahora" (1 Co. 4:11, 13) hicieron que pudiera cruzar esta alta montaña. "Hasta esta hora" cuando aún lo consideraban la escoria del mundo, el desecho de todas las cosas; pero aún podía estar firme "hasta ahora". El tiempo pone al hombre a prueba, pero las promesas de Dios capacitan al hombre a pasar la prueba del tiempo y a estar firme "hasta esta hora" y "hasta ahora".

(7) Algunos hijos de Dios al ser sacudidos por las olas clamaron al Señor, y las palabra que el Señor les dio fueron: "¡Tened ánimo, soy Yo, no temáis!" (Mt. 14:24, 27). Al escuchar esta promesa, inmediatamente su corazón angustiado se llenó de paz. Las olas nunca pudieron arrastrarlos al fondo del mar.

Por tanto, acerca de las promesas de Dios, necesitamos alabarlo por que no se pueden anular; cada palabra será establecida. Además, la fe nunca exige pruebas, porque todo lo que Dios dice, lo cumplirá. Aunque los cielos y la tierra sean consumidos, y las montañas y las colinas sean derribadas, todo aquel que cree en el Señor verá Sus palabras cumplidas.

LOS HECHOS DE DIOS

En cuanto a los hechos de Dios, aunque en las Escrituras

no podemos encontrar la palabra *hechos,* en la obra de Dios podemos encontrar muchos hechos cumplidos; es decir, los hechos son la obra que Dios ha cumplido.

Los hechos son las obras cumplidas

En el Antiguo Testamento Dios prometió que el Señor Jesús iba a nacer de una virgen (Is. 7:14). Entonces, "cuando vino la plenitud del tiempo, Dios envió a Su Hijo, nacido de mujer y nacido bajo la ley, para que redimiese a los que estaban bajo la ley, a fin de que recibiésemos la filiación" (Gá. 4:4-5). Así que, la promesa dada en Isaías acerca de que "la virgen concebirá y dará a luz un hijo" se ha hecho realidad; ha llegado a ser un hecho. La crucifixión del Señor Jesús también es un hecho. Él se ofreció a Sí mismo una vez y para siempre, obteniendo así eterna redención (He. 9:12). Puesto que éste es un hecho, nadie tiene que pedirle al Señor que muera otra vez por nosotros y que nos redima de nuestros pecados.

La venida del Espíritu Santo también es un hecho cumplido para siempre. Puesto que esto es así, nadie tiene que pedirle otra vez al Espíritu Santo que venga. (Esto se refiere al "hecho" de la venida del Espíritu Santo, y no a la "experiencia" individual que uno tiene del Espíritu Santo).

Además, Dios ha realizado muchas otras cosas por medio de Cristo. Las Escrituras revelan que todas las cosas que pertenecen a la vida y a la piedad se han cumplido en Cristo. Por ejemplo, Efesios 1:3 dice que Él "nos bendijo con toda bendición espiritual en los lugares celestiales en Cristo". El versículo 4 continúa con la palabra: "Según...", y de acuerdo con el texto original, esta oración prosigue hasta llegar al versículo 14. Por tanto, vemos que todas las cosas mencionadas en estos versículos son todas las bendiciones espirituales mencionadas en el versículo 3. Esto también explica 2 Pedro 1:3 donde dice: "Ya que Su divino poder nos ha concedido todas las cosas que pertenecen a la vida y a la piedad". Todas estas cosas están en Cristo. Son hechos que ya fueron cumplidos.

Con respecto a las promesas de Dios, si no pedimos que se cumplan, o si no cumplimos con las condiciones, es posible que no las recibamos. En lo que a nosotros se refiere, las promesas pueden ser anuladas, pero en cuanto a los hechos de Dios, aunque no pidamos que éstos se cumplan, Él los cumplirá en nosotros. Puesto que son hechos cumplidos, no tenemos que pedirlos. (Esto se refiere a los hechos mismos de Dios, no a nuestras experiencias individuales de estos hechos).

Dios nunca nos ha pedido hacer nada para que recibamos Sus hechos. Todo lo que Él requiere es que simplemente creamos. Puede ser que la promesa de Dios se demore, pero en cuanto a los hechos de Dios no hay tardanza. Una vez hayamos dicho que hemos recibido los hechos de Dios, nunca podríamos decir que necesitamos esperar algunos años para que Dios nos los dé. Lo que Dios ha cumplido y lo que ya nos ha dado en Cristo nunca se puede posponer a un momento futuro. Si Dios demora en dárnoslo, sería una contradicción al hecho.

Consideremos dos ejemplos. Efesios 2:4-6 dice: "Pero Dios, que es rico en misericordia, por Su gran amor con que nos amó, aun estando nosotros muertos en delitos, nos dio vida juntamente con Cristo [...] y juntamente con Él nos resucitó, y asimismo nos hizo sentar en los lugares celestiales en Cristo Jesús". ¿Estas cosas mencionadas aquí son promesas de Dios o son hechos de Dios? La Palabra de Dios nos dice que todas estas cosas son hechos. Es Dios el que nos dio vida juntamente *con* Cristo, y es Dios el que nos ha resucitado juntamente *con* Cristo y nos hizo sentar en los lugares celestiales juntamente *con* Cristo. Todos estos son hechos cumplidos. Puesto que esto es así, debemos alabar y agradecer a Dios por ello. Debemos adoptar una actitud hacia Satanás en la cual manifestamos que hemos sido resucitados y hemos ascendido juntamente con Cristo. Nunca debemos adoptar una actitud en la cual esperamos ser resucitados o ascendidos; al contrario, ésta siempre debe indicar que *hemos* sido resucitados, que *hemos* ascendido. Debemos saber que no existe ni una sola persona entre el pueblo del Señor que no haya recibido una vida de resurrección y de ascensión. Si pensamos que esta vida sólo se puede obtener si la pedimos, entonces no conocemos lo que Dios ha logrado. Dios nos ha dado en Cristo todo lo que pertenece a la vida y a la piedad. No necesitamos pedir; sólo necesitamos reclamar lo que nos fue dado. ¡Aleluya, este hecho glorioso, este hecho cumplido, este hecho que Cristo ha cumplido, nos ha sido dado por Dios en Cristo!

El segundo ejemplo se encuentra en Romanos 6:6 que dice: "Sabiendo esto, que nuestro viejo hombre fue crucificado juntamente con Él para que el cuerpo de pecado sea anulado, a fin de que no sirvamos más al pecado como esclavos". Este versículo nos muestra tres cosas: (1) el pecado, (2) el viejo hombre y (3) el cuerpo de pecado. El pecado es la misma naturaleza pecaminosa que nos domina (Ro. 6:14; 7:17). El viejo hombre es nuestro yo, al cual le gusta escuchar al pecado. El cuerpo de pecado es nuestro cuerpo que es la marioneta del pecado; nuestro cuerpo es el que en realidad comete los pecados. El pecado nos domina y, por medio del viejo hombre, controla nuestro cuerpo para que cometa pecados. El viejo hombre representa todo lo que pertenece a Adán y se inclina hacia el pecado. Este viejo hombre es el que escucha al pecado y le ordena al cuerpo cometer actos pecaminosos. Quizás algunos consideren que a fin de que el hombre no peque, se debe remover la raíz del pecado; otros pueden pensar que, a fin de que no peque, el hombre debe meticulosamente suprimir los deseos de su cuerpo. Pero éstos son los pensamientos de los hombres; lo que Dios ha hecho es totalmente diferente. Dios no trató con la raíz del pecado, ni tampoco trató con nuestro cuerpo; sino que puso fin a nuestro viejo hombre: "Nuestro viejo hombre fue crucificado juntamente con Él" (Ro. 6:6). Al igual que nuestro Señor Jesús fue crucificado en la cruz, nuestro viejo hombre *ha sido* crucificado juntamente con Él. Esto es un hecho. Es un hecho que Dios ha cumplido en Cristo.

La frase *para que el cuerpo de pecado sea anulado* también se puede traducir "para que el cuerpo de pecado sea desempleado". Puesto que nuestro viejo hombre ha sido crucificado juntamente con Cristo, el cuerpo del pecado ha sido desempleado. Aunque la naturaleza del pecado sigue estando presente y está activa, y aún llega a tentarnos, el viejo hombre que ha sido usado por el pecado ha sido crucificado juntamente con Cristo. Por tanto, el pecado ya no puede ser nuestro amo; hemos sido librados del pecado. Sin embargo, alguien puede mirarse a sí mismo y pensar que debido a que él sigue siendo débil y aún peca, tiene que pedirle a Dios otra vez que le conceda Su gracia y obre en él para erradicar de nuevo al pecado, a fin de que pueda ser liberado del pecado. Otra persona puede pensar que Cristo ha sido crucificado, pero que *su* viejo hombre aún no ha sido crucificado. Por tanto, le pide a Dios que crucifique su viejo hombre. El resultado es que cuanto más le pide a Dios que crucifique su viejo hombre, más activo es su viejo hombre, y lo llega a dominar. ¿A qué se debe esto? Se debe a que algunos sólo están familiarizados con las promesas de Dios, pero no conocen los hechos de Dios. Quizás consideran que los hechos y las promesas de Dios equivalen a lo mismo, y toman los hechos de Dios de la misma manera que toman Sus promesas. Dios dice que nuestro viejo hombre ha sido crucificado juntamente con Cristo, pero ellos piensan que la promesa de Dios es que Él *va a* crucificar su viejo hombre. Por tanto, le piden continuamente a Dios que crucifique su viejo hombre. Siempre que cometen un pecado, sienten que su viejo hombre aún no ha sido crucificado y le piden a Dios que nuevamente crucifique su viejo hombre. Siempre que caen en tentación, consideran que Dios no le ha dado fin al viejo hombre por completo. Por esta razón sienten que necesitan pedirle a Dios que tome medidas con respecto a su viejo hombre. No saben que su viejo hombre ya ha sido crucificado juntamente con Cristo, que esto es un hecho cumplido y que es diferente de una promesa; por tanto, continúan rogando. El resultado es que no avanzan; sólo siguen clamando: "¡Miserable de mí!" (Ro. 7:24).

Debemos darnos cuenta de que Romanos 6:6 es una experiencia básica para todos aquellos que le pertenecen al Señor. Debemos pedirle al Espíritu del Señor que nos dé revelación para que podamos ver que nuestro viejo hombre *ha sido* crucificado con Cristo. Entonces, basándonos en la Palabra de Dios, podremos creer que de hecho estamos muertos al pecado (Ro. 6:11). Aunque a veces nos sentimos tentados y pensamos que nuestro viejo hombre no está muerto, aun así debemos creer más en lo que Dios ha cumplido, que en aquello que sentimos y experimentamos. Una vez que vemos que los hechos son realmente hechos, tendremos la experiencia de forma espontánea. Sin embargo, debemos entender que los hechos de Dios no llegan a ser reales a nosotros debido a que creemos en ellos; sino más bien, es debido a que los hechos de Dios *son* verdaderos que nosotros creemos.

La fe consiste en que, puesto que Dios dice que nuestro viejo hombre ha sido crucificado con Cristo, nosotros también decimos que nuestro viejo hombre ha sido crucificado con Cristo. Es un hecho que nuestro viejo hombre ha sido crucificado, un hecho cumplido por Dios en Cristo. En este respecto, Dios no puede hacer más de lo que ya ha hecho. Todo lo que podemos hacer es creer que la Palabra de Dios es verdad. Por tanto, no es necesario que le pidamos a Dios hacer algo, sino que creamos en que Dios ya lo ha hecho. Siempre que creemos en los hechos que Dios ha cumplido, tenemos la experiencia de tales hechos automáticamente. Los hechos, la fe y nuestra experiencia: éste es el orden que Dios ha establecido. Debemos recordar este gran principio que rige la vida espiritual.

Algunos principios
relacionados con los hechos de Dios

A partir de lo que hemos visto en los ejemplos anteriores, encontramos los siguientes principios: (1) Necesitamos descubrir cuales son los hechos de Dios. Para esto necesitamos de la revelación del Espíritu Santo. (2) Una vez que vemos cuales son los hechos de Dios, necesitamos aferrarnos a la Palabra de Dios y creer que somos tal y como lo dice la Palabra de Dios. Necesitamos creer que somos lo que dice el hecho que Dios ha cumplido. (3) Por una parte, necesitemos por fe alabar a Dios que somos de esa manera; por otra parte, necesitamos actuar y manifestar que somos así. (4) Siempre que vengan las tentaciones o las pruebas, debemos creer que la Palabra de Dios y Sus hechos cumplidos son más confiables que nuestros sentimientos. Sólo necesitamos creer completamente en la Palabra de Dios; entonces, Dios se hará responsable de darnos la experiencia. Si primero prestamos atención a nuestra experiencia, fracasaremos y no experimentaremos nada. Nuestra responsabilidad es creer en el hecho cumplido por Dios; la responsabilidad de Dios es concedernos la experiencia. Si creemos en los hechos cumplidos por Dios, habrá un crecimiento en nuestra vida espiritual todos los días. (5) Los hechos requieren de nuestra fe, porque la fe es la única manera en que estos hechos pueden llegar a ser reales en nuestra experiencia. Los hechos cumplidos por Dios están en Cristo; por tanto, si hemos de disfrutar de estos hechos, debemos estar en Cristo. Al estar unidos a Cristo, experimentamos los hechos que Dios ya ha cumplido en Cristo. Debemos recordar que cuando fuimos salvos, fuimos unidos a Cristo y fuimos puestos en Cristo (1 Co. 1:30; Gá. 3:27; Ro. 6:3), pero muchos, aunque están en Cristo, no permanecen en Él. Puesto que no están firmes por la fe en la posición que Dios les ha dado en Cristo, no gozan del efecto que los hechos cumplidos por Dios tendrían en ellos. Por lo tanto, aunque ya estamos en Cristo, también tenemos que permanecer en Cristo. De este modo, los hechos de Dios llegarán a ser nuestra experiencia y seguirán siendo manifestados por medio de nosotros.

La necesidad que tenemos de ver

Hemos mencionado repetidas veces que los hechos cumplidos por Dios son aquellas cosas que Él ya ha logrado, y acerca de las cuales ya no necesitamos pedirle hacer nada más. Sin embargo, si no hemos visto los hechos cumplidos por Dios como tales, necesitamos pedirle a Dios que nos dé revelación, que nos dé luz para poder ver. El espíritu de sabiduría y de revelación nos permitirá conocer esto (Ef. 1:17-18). Podemos pedir tal espíritu a fin de recibir tal visión. No le pedimos a Dios que vuelva a hacer lo mismo otra vez, sino que nos muestre lo que ya ha logrado. Debemos ver esta diferencia claramente.

A continuación veremos algunos ejemplos adicionales para aclarar este asunto:

(1) Una hermana, antes de ver el hecho de que estamos en Cristo, pensaba que uno tenía que esforzarse para entrar en Cristo, pero ella no sabía cómo hacerlo. Un día al oír las palabras: "Mas por Él estáis vosotros en Cristo Jesús" (1 Co. 1:30), ella vio en su ser interior que Dios ya la había puesto en Cristo y que ella no tenía que esforzarse más.

(2) Algunos hijos de Dios, antes de ver el hecho de que "nuestro viejo hombre fue crucificado juntamente con Cristo",

han empleado sus propias fuerzas para crucificar su viejo hombre o le pidieron a Dios que lo hiciera. El resultado fue que cuanto más intentaban crucificar su viejo hombre, más vivo parecía estar. Cuanto más le pedían a Dios crucificar su viejo hombre, más confusos se pusieron. Entonces un día Dios abrió sus ojos y les reveló que Él *ya había* crucificado su viejo hombre juntamente con Cristo. Entonces se dieron cuenta de cuán absurdas habían sido sus acciones y oraciones.

(3) Había una hermana que no entendía claramente que el derramamiento del Espíritu Santo es ya un hecho. Una noche ella se encerró en su recamara y se dispuso a leer Hechos 2. Mientras leía esta porción de la Palabra, le pidió a Dios que le diera una revelación. Dios abrió sus ojos y le mostró tres cosas en este capítulo: (a) que Cristo había sido exaltado a la diestra de Dios y que, habiendo recibido la promesa del Padre, había derramado el Espíritu Santo (v. 33); (b) que Dios le había hecho Señor y Cristo (v. 36); (c) que esta promesa de recibir el Espíritu Santo fue hecha para los israelitas y sus hijos, y también para aquellos que están lejos (v. 39). Ella vio que el derramamiento del Espíritu Santo es un hecho consumado. Puesto que ella era una persona que se había arrepentido y había sido bautizada en el nombre de Jesucristo, ella estaba incluida entre los que estaban "lejos". Por tanto, se dio cuenta que ella tenía parte en la promesa, es decir, que para ella también era lo que se mencionaba en el versículo 38: "Recibiréis el don del Espíritu Santo". Cuando ella vio eso, se llenó de alegría y no podía dejar de alabar al Señor.

Por tanto, de manera contundente enfatizamos una vez más que no necesitamos pedirle a Dios que realice de nuevo los hechos que ya ha cumplido; sólo necesitamos pedirle que nos muestre que Él ya lo hizo. No necesitamos pedirle a Dios que ahora nos ponga en Cristo; lo que necesitamos es pedirle que nos muestre el hecho de que Él ya nos puso en Cristo. No necesitamos pedirle a Dios que crucifique nuestro viejo hombre; antes bien, necesitamos pedirle a Dios que nos muestre que Él ya nos crucificó con Cristo. Tampoco le pedimos a Dios que derrame el Espíritu Santo desde los cielos; sino que le pedimos a Dios que nos muestre que el Espíritu Santo ya fue derramado. (En Hechos 1:13-14 leemos que los apóstoles con varias mujeres, y con María la madre de Jesús, y con Sus hermanos, perseveraban unánimes en oración. Hechos 2:1 dice que en el Día de Pentecostés los discípulos estaban todos juntos en el mismo lugar, porque en aquel entonces el Espíritu Santo aún no había sido derramado. Pero Hechos 8:15-17 muestra claramente que Pedro y Juan oraron por los samaritanos que habían creído en el Señor, e impusieron sus manos sobre ellos para que recibieran el Espíritu Santo. No oraron que el Espíritu Santo fuera derramado del cielo, ya que el derramamiento del Espíritu Santo del cielo es un hecho, pero que el Espíritu Santo descienda sobre individuos tiene que ver con la experiencia).

Necesitamos pedirle a Dios que nos muestre que Sus hechos son hechos consumados. Siempre que tengamos la revelación interior, espontáneamente podemos creer y luego tener la debida experiencia. Una vez más, decimos que ciertamente podemos inquirir de Dios, pero lo que necesitamos es pedirle que nuestros ojos sean alumbrados a fin de que nos de revelación y luz de tal modo que realmente podamos ver algo acerca de los hechos cumplidos por Dios.

CONCLUSIÓN

Hemos mencionado el contraste que existe entre las promesas de Dios y los hechos cumplidos por Dios. Ahora hagamos un resumen de las diferencias básicas entre los hechos cumplidos por Dios y las promesas de Dios. En las Escrituras, una promesa se refiere a las palabras que Dios ha hablado antes de que algo ocurra, mientras que un hecho se refiere a las palabras habladas por Dios después de que la cosa se ha cumplido. Debemos recibir las promesas de Dios por medio de nuestra fe, mientras que los hechos de Dios, no sólo debemos recibirlos con fe, sino también debemos disfrutarlos, puesto que Dios ya los ha cumplido. Por tanto, cuando leemos la Palabra de Dios, una de las cosas más importantes es distinguir entre las promesas de Dios y los hechos cumplidos por Dios. Siempre que lleguemos a un lugar donde se habla de la gracia de Dios, diciéndonos cómo Dios ha hecho algo por nosotros, necesitamos preguntarnos si eso es una promesa o un hecho. Si es una promesa y tiene algunas condiciones, primero necesitamos cumplir con tales condiciones y luego es necesario orar hasta que Dios nos de la certeza interior de que esa promesa es también para nosotros. Entonces tendremos fe y sabremos que Dios ha oído nuestra oración; por lo que espontáneamente alabaremos a Dios. Aunque la promesa de Dios aún deberá cumplirse, debido al hecho de que tenemos fe, parece que el asunto ya es nuestro. Si lo que hemos leído es un hecho, entonces uno puede inmediatamente ejercitar la fe y alabar a Dios, diciendo: "¡Oh, Dios, sí, así es!". Usted puede creer que verdaderamente es así y puede actuar conforme a ese hecho. Al hacer esto usted demostrará su fe.

Sin embargo, hay algunos puntos que debemos recordar:

(1) Antes de que le pidamos a Dios que cumpla con Su promesa, debemos primero tomar medidas con respecto a nuestro corazón impuro. Los que están llenos de pensamientos confusos o son demasiado emotivos posiblemente consideren que esto o aquello es la promesa de Dios para ellos. Ayer recibieron una promesa; hoy reciben otra. Para ellos, obtener las promesas de Dios es como jugar a la lotería, echando suertes una y otra vez. Nueve de cada diez veces tales promesas no son confiables y pueden ser engañosas. (Esto no significa que las promesas de Dios no son confiables, sino que lo que esas personas *consideran* ser las promesas de Dios es algo que ellos mismos han concebido, *no algo que Dios les ha dado*). Si las personas que tienen inclinaciones naturales o una voluntad dura usan de forma subjetiva lo que recuerdan de la Palabra de Dios, o si usan esas palabras de Dios que coinciden con su estado de ánimo, o si interpretan la Palabra de Dios de una manera subjetiva y consideran que se trata de una promesa de Dios, estas "promesas" por lo general no son confiables. El resultado es que se desilusionan e incluso dudan de la Palabra de Dios. Por tanto, antes de pedirle a Dios que nos dé una promesa, necesitamos pedirle que alumbre nuestro corazón a fin de que podamos conocer nuestro corazón. Necesitamos pedirle a Dios que purifique nuestro corazón. También necesitamos pedirle a Dios que nos conceda Su gracia para estar dispuestos a ponernos a un lado, de modo que silenciosamente podamos poner nuestros ojos en Él. Entonces, si Dios nos da

una promesa, seremos impresionados espontánea y claramente desde lo más profundo de nuestro corazón.

(2) Después de recibir la promesa de Dios, necesitamos aplicarla. Charles Spurgeon dijo una vez: "Oh, creyente te ruego que no consideres que las promesas de Dios son como las cosas raras en un museo, sino que las debes usar diariamente como fuentes de consuelo. Confía en el Señor siempre que lo necesites". Esto se ha dicho por experiencia.

(3) Quienes realmente han recibido una promesa de Dios generalmente se comportan y actúan de una manera pacífica y estable, como si la promesa se hubiera cumplido. Por ejemplo, cuando Pablo era celoso por la obra en Corinto, el Señor le dijo en una visión: "No temas, sino habla, y no calles; porque Yo estoy contigo, y ninguno pondrá sobre ti la mano para hacerte mal". Después de esto, él permaneció allí un año y seis meses (Hch. 18:9-11). En otra ocasión, cuando Pablo iba de camino a Roma y se encontró en peligro en el mar, él pudo estar firme entre los que estaban con él en el barco y decir: "Tened buen ánimo; porque yo confío en Dios que será así como se me ha dicho". Él no sólo creyó en la promesa de Dios, sino que también usó la promesa como una promesa y como un consuelo para los demás. "Habiendo dicho esto, tomó el pan y dio gracias a Dios en presencia de todos, y partiéndolo, comenzó a comer". Éstas fueron las acciones y la manera de actuar de Pablo después de creer en la promesa de Dios, lo cual produjo una impresión profunda en aquellos que iban con él. El resultado fue que "todos, teniendo ya mejor ánimo, comieron también" (27:23-25, 35-36). En cierta ocasión, un santo dijo que toda promesa de Dios está edificada sobre cuatro columnas: la justicia de Dios, la santidad de Dios, la gracia de Dios y la verdad de Dios. La justicia de Dios no permite que Él sea infiel; la santidad de Dios no permite que Él engañe; la gracia de Dios no permite que Él se olvide; y la verdad de Dios no permite que Él cambie. Otro santo dijo que aunque la promesa se demore en cumplirse, nunca llegará demasiado tarde. Todas éstas son palabras de experiencia de aquellos que conocen a Dios.

Un salmista dijo: "Acuérdate de la palabra dada a tu siervo, en la cual me has hecho esperar" (Sal. 119:49). Ésta es una oración muy poderosa. Las promesas de Dios nos dan una esperanza viva. ¡Aleluya!

(4) Una vez que hayamos visto los hechos de Dios, nuestra fe debe continuar mirando los hechos de Dios, considerando al hecho como hecho. Cada vez que tengamos un fracaso, necesitamos *descubrir* la razón de nuestro fracaso y necesitamos *condenar* tanto la razón del fracaso, como el acto mismo del fracaso. Si debido a nuestro propio fracaso dudamos de los hechos cumplidos por Dios, e incluso los negamos, esto comprueba que tenemos *un corazón malo de incredulidad* para con los hechos de Dios (He. 3:12). Si es así, tenemos que pedirle a Dios que nos *quite* el corazón malo de incredulidad.

Con tal que retengamos firme hasta el fin la confianza inicial, hemos llegado a ser compañeros de Cristo (He. 3:14).

CAPÍTULO DOS

EL PACTO DE DIOS

En las palabras de gracia que Dios nos da se incluyen tres cosas: las promesas de Dios, los hechos de Dios y el pacto de Dios. En el primer capítulo nos referimos a las promesas de Dios y a los hechos de Dios. Ahora abarcaremos el pacto de Dios. Todos aquellos que han sido instruidos por la gracia alabarán a Dios y dirán: "¡Qué grandioso y precioso es que Dios haga un pacto con el hombre!".

Las promesas de Dios son algo precioso. Cuando ustedes se sientan enfermos, tengan dolor o problemas, las promesas de Dios llegan a ser como arroyos de agua en tierra de sequedad. Las promesas de Dios también son como la sombra de gran peñasco en tierra árida (Is. 32:2).

Hay algo que es más fácil de obtener que las promesas de Dios, que son los hechos que Dios ha cumplido. Dios no solamente otorga Sus promesas, las cuales Él pronto cumplirá; sino que también nos ofrece los hechos que Él mismo ya ha cumplido. Él realmente ha puesto el tesoro en vasos de barro para manifestar que la excelencia del poder es de Dios y no de nosotros (2 Co. 4:7).

Además, Dios nos otorga no sólo Sus promesas y los hechos que Él ha cumplido en Cristo; sino que también estableció un pacto con nosotros. El pacto de Dios es aún más glorioso que Sus promesas o Sus hechos. Dios ha hecho un pacto con el hombre. Esto significa que Él condescendió para ser atado y limitado por el pacto. La razón por la que Dios está dispuesto a perder Su libertad mediante el pacto, es para que podamos obtener lo que Él se propuso que obtuviésemos. El Dios Altísimo, el Creador de los cielos y la tierra condescendió a tal grado que hizo un pacto con el hombre. ¡Oh, qué gracia sin igual! Ante tal Dios que es tan lleno de gracia, sólo podemos inclinarnos y adorar.

EL SIGNIFICADO DE UN PACTO

¿Cuál es el significado de un pacto? Un pacto habla de la fidelidad y de la ley. Al hacer un pacto, no podemos considerar ni la preferencia ni la gracia. Un pacto se debe realizar estrictamente en conformidad con la fidelidad, la justicia y la ley. Si nosotros hacemos un pacto con alguien y describimos claramente por escrito cómo lo llevaremos a cabo, mas no cumplimos con ese pacto, eso significa que retractamos nuestras palabras y llegamos a ser infieles, injustos y deshonestos. Nuestro nivel moral inmediatamente decae. Por otra parte, quebrantar un pacto es, por lo general, algo castigado por la ley.

Vemos a partir de esto que Dios, al haber hecho un pacto con el hombre, se ha colocado en una posición restringida. Al principio, Dios podía tratar con el hombre como a Él le pareciera. Él podía tratar con el hombre según Su gracia o podría tratarlo de otra manera. Él podría salvarlo o podría escoger no salvarlo. Si Dios no hubiera hecho un pacto con el hombre, Él hubiera podido actuar como le pareciera; tendría toda la libertad de hacerlo. Si a Él le pareciera bien hacer algo, lo podría hacer; si no, no tendría que hacerlo. Pero una vez que Dios hizo un pacto con el hombre, Él está atado al pacto. Él tiene que realizar lo que ha dejado claramente estipulado por escrito.

Sabemos que lo que está involucrado en un pacto es sólo la fidelidad y no la gracia. Pero si consideramos que Dios estuvo dispuesto a atarse al hacer un pacto con el hombre, el pacto viene a ser la expresión más alta de la gracia de Dios. Dios actuó con tal condescendencia que parecía estar al mismo nivel que el hombre. ¡Dios mismo se sujetó a un pacto! Después que hizo el pacto, Él tuvo que ser limitado por el pacto. No importa si le guste o no, Él debe hacerlo; Él no puede actuar contrario al pacto que Él mismo estableció. ¡Oh, qué grandioso es que Dios haga un pacto con el hombre! ¡Qué acto más noble!

¿POR QUÉ HARÍA DIOS UN PACTO CON EL HOMBRE?

¿Por qué haría Dios un pacto con el hombre? Para entender esto debemos comenzar remontándonos a la primera vez que Dios hizo un pacto con el hombre. Estrictamente hablando, en el Antiguo Testamento el primer caso ocurrió durante la época de Noé. Antes de eso, Dios no había hecho ningún pacto con el hombre; Su primer pacto con el hombre fue con Noé.

Dios le muestra Su intención al hombre por medio del pacto

En el pacto que Dios hizo con Noé vemos que una de las cosas más difíciles para Dios es hacer que el hombre entienda Su intención. En los tiempos de Noé, el linaje humano había pecado a lo sumo. Por tanto, Dios se propuso destruir al hombre con el diluvio. Pero antes de hacerlo, Dios se acordó no sólo de la familia de Noé, sino también de muchas criaturas; Él quería preservar sus vidas. Así pues, Dios hizo un pacto con Noé y le dijo: "Estableceré Mi pacto contigo; y entrarás en el arca tú, y contigo tus hijos, tu mujer y las mujeres de tus hijos. Y de todo ser vivo, de toda carne, dos de cada especie meterás en el arca para conservarles la vida contigo; macho y hembra serán. De las aves según su especie, y de los ganados según su especie, de todo lo que arrastra por la tierra según su especie, dos de cada especie vendrán a ti para que les sea conservada la vida. Y por tu parte, toma de todo alimento que se come y almacénalo contigo; y servirá de sustento para ti y para ellos" (Gn. 6:18-21). Dios deseaba conservar su vida e incluso consideró que tenían que comer. Este pacto muestra el corazón afectuoso y tierno que tenía Dios hacia el hombre.

Entonces vino el diluvio. Todas las criaturas de carne y sangre sobre la tierra —las aves, el ganado, las bestias, los reptiles y todo el linaje humano— murieron. Únicamente la familia de Noé y las criaturas que entraron en el arca fueron preservadas. De esta manera Dios cumplió con Su pacto.

Los ocho miembros de la familia de Noé estuvieron encerrados dentro del arca un año. Durante ese tiempo, no vieron ni oyeron nada más que el oleaje de las aguas. Finalmente cuando el diluvio cesó, toda la familia salió del arca. Sin embargo, aún estaban atemorizados. No estaban seguros de si Dios destruiría el linaje humano con un diluvio nuevamente. No sabían con certeza si se encontrarían con el terrible desastre otra vez. Aunque fueron salvos, aún sentían temor en sus corazones. Sabemos que el juicio que Dios ejecutó sobre el linaje humano al mandar el diluvio no era algo que deseaba. Génesis 6:5-6 dice: "Vio Jehová que era mucha la maldad del hombre en la tierra, y que toda imaginación de los pensamientos de su corazón era de continuo solamente el mal. Y se arrepintió Jehová de haber hecho al hombre en la tierra, y le dolió en Su corazón". Aquí podemos ver cual era verdaderamente el corazón de Dios. No hay duda que el diluvio dejó una impresión terrible en el hombre. El deseo de Dios era cambiar esta impresión y mostrarle al hombre Su verdadera intención para con él. Dios no quería destruir el linaje humano, Él quería consolarlos. *Él quería que ellos conocieran la intención de Su corazón.* Por tanto, Él especialmente les dio evidencia de Su intención, y vino para hacer un pacto con ellos.

"Entonces habló Dios a Noé y a sus hijos con él, diciendo: He aquí que Yo establezco Mi pacto con vosotros y con vuestra simiente después de vosotros, y con todo animal viviente que está con vosotros: las aves, los ganados y todos los animales de la tierra que están con vosotros, todos los que salieron del arca, todos los animales de la tierra. Yo establezco Mi pacto con vosotros: Nunca más volverá a ser aniquilada toda carne por las aguas del diluvio, ni habrá más diluvio para destruir la tierra. Y dijo Dios: Ésta es la señal del pacto que hago por generaciones perpetuas entre Yo y vosotros y todo animal viviente que está con vosotros: Mi arco he puesto en las nubes, el cual será por señal del pacto entre Yo y la tierra. Y cuando haga venir nubes sobre la tierra, y aparezca el arco en las nubes, me acordaré del pacto Mío, que hay entre Yo y vosotros y todo animal viviente de toda carne; y jamás se convertirán las aguas en diluvio para destruir toda carne. Estará el arco en las nubes, y lo miraré para acordarme del pacto perpetuo entre Dios y todo animal viviente de toda carne que hay sobre la tierra. Entonces Dios dijo a Noé: Ésta es la señal del pacto que he establecido entre Yo y toda carne que está sobre la tierra" (Gn. 9:8-17).

En este pacto Dios dijo repetidas veces que nunca habría otro diluvio. Para asegurarle a la familia de Noé que ya no tenía nada que temer, se le dio este pacto a fin de que pudiera asirse de las palabras del pacto y hallar reposo en ellas.

Aquí vemos el propósito del pacto: Dios tiene una buena intención para con el hombre, pero dado que el hombre no pudo entender ni ver dicha intención, Dios estableció un pacto con él a fin de darle una evidencia a la cual aferrarse. Dios le dio un pacto al hombre para mostrarle claramente cuál era Su verdadera intención. Parecía que Dios les abría Su corazón para que el hombre viera cual era verdaderamente el corazón de Dios. ¡Oh, el Dios Altísimo, el Creador de los cielos y la tierra, Él cuidó y consideró al hombre a tal grado! ¿No deberían hasta las piedras conmoverse por esto?

Por medio del pacto
Dios agranda la medida de fe que tiene el hombre

Ahora abordemos el tema relacionado al pacto que Dios hizo con Abraham. Abraham manifestó su amor, su celo, su valor y su pureza al salvar a su sobrino Lot y al rechazar la oferta del rey de Sodoma (Gn. 14:14-23). Entonces, después de estas cosas, Dios vino a hablar con Abraham y le dijo: "No temas, Abram; Yo soy tu escudo y tu galardón sobremanera grande" (15:1). Este versículo nos muestra que en ese momento Abraham, por una parte, estaba ansioso, temiendo que regresaran los cuatro reyes y, por otra parte, sentía dolor porque Lot se había ido, y porque no tenía hijos. Fue en ese entonces que Dios vino a él para fortalecerle y consolarle. Pero si consideramos la respuesta de Abraham podemos ver que la promesa que Dios le había hecho no lo satisfizo completamente. Él le preguntó al Señor: "¿Qué me darás, puesto que estoy sin hijos, y el heredero de mi casa es Eliezer de Damasco?" (v. 2). Esto nos muestra que él aún no había conocido ni había visto cuanta gracia había en la promesa de Dios. Su actitud era muy negativa. Él tenía sus propias ideas y también sus propios planes. ¿Entonces, qué hizo Dios? Dios le dijo: "Tu heredero no será éste, sino el que saldrá de tu propio cuerpo, él será tu heredero. Entonces Él lo llevó fuera y le dijo: Mira ahora los cielos y cuenta las estrellas, si las puedes contar. Y le dijo: Así será tu simiente" (vs. 4-5). ¿Qué es esto que Dios le dijo aquí a Abraham? Fue una promesa, no un hecho. ¿Y que le sucedió a Abraham? Ahora él pudo creer en la promesa de Dios; por tanto, Él se lo contó por justicia (v. 6). Puesto que Abraham creyó en la promesa de Dios, él llegó a ser el padre de la fe.

Después de que Abraham creyó en la primera promesa que Dios le hizo, vino la segunda: "Le dijo: Yo soy Jehová, que te saqué de Ur de los caldeos para darte a heredar esta tierra" (v. 7). ¿Creyó Abraham en esta promesa? No; su medida de fe era demasiado escasa. Él dudó y dijo: "Oh Señor Jehová, ¿en qué conoceré que la he de heredar?" (v. 8). Puesto que la promesa era demasiado grande, Abraham no podía creer en ella. Así que, le pidió a Dios que le diera alguna evidencia a la cual podría aferrarse.

¿Cómo resolvió Dios la incredulidad de Abraham? ¿Qué fue lo que hizo? Dios hizo un pacto con Abraham (v. 18). Por tanto, el establecimiento de un pacto completa lo que le falta a una promesa. Un pacto es la mejor manera de tratar con la incredulidad; pues hace que aumente la medida de fe que el hombre tiene. Quizás Abraham no creyera en la promesa de Dios, pero Dios no podía cambiar lo que había prometido. Puesto que Abraham no podía creer en ello, Dios hizo un pacto con él, a fin de que no tuviera más alternativa que creer.

Dios le dijo a Abraham: "Tráeme una novilla de tres años, una cabra de tres años, un carnero de tres años, una tórtola y un palomino. Le trajo todos éstos, y los partió por la mitad y puso cada mitad enfrente de la otra; mas no partió las aves [...] Cuando se puso el sol y hubo oscuridad, aparecieron un horno humeante y una antorcha de fuego que pasaron por entre los animales divididos" (vs. 9, 10, 17). ¿Qué significa esto? Esto significa que Dios hizo un pacto con Abraham. Significa que el pacto que él hizo vino a ser algo que pasó a través de las partes internas más profundas, y por medio de la sangre. Los cuerpos de las ovejas y de los bueyes fueron partidos por la mitad, la sangre fue derramada, y Dios pasó por las mitades de los bueyes y de las ovejas. Esto nos muestra que el pacto que Él hizo nunca sería alterado o anulado.

Dios sabía que la fe de Abraham era limitada. Dios sabía

que Él tenía que agrandar la medida de su fe. Por tanto, Él hizo un pacto con Abraham. Dios no sólo le prometió a Abraham que iba a hacer algo, sino que incluso hizo un pacto con él para mostrarle que lo haría. Así que, Abraham no podía hacer otra cosa sino creer, porque si Dios, después de hacer un pacto con el hombre, no actuara según el pacto, sería infiel, injusto y contrario a la ley. Por medio del fortalecimiento de ese pacto, naturalmente la medida de fe que tenía Abraham fue agrandada.

Por medio del pacto
Dios le da una garantía al hombre

Ahora veamos la historia del pacto que Dios hizo con David. Tanto en 2 Samuel 7:4-16 como en Salmos 89:19-37 se habla de lo mismo. Sin embargo, en 2 Samuel 7 no se nos dice claramente cómo fue que Dios hizo un pacto con David, pero en el salmo 89 podemos ver que cuando el Señor envió al profeta Natán a David, lo que éste dijo a David era en realidad un pacto. El salmo 89 y 2 Samuel 7 hablan de lo mismo, y no de dos cosas diferentes. En ambos pasajes Dios le dio Su palabra a David y a sus descendientes como una garantía. A Él le gusta que el hombre tome Su palabra y que le pida que la cumpla, le complace que el hombre haga esto. Dios le dio un pacto al hombre como una garantía esperando que el hombre le pidiese que la cumpla.

Dios le habló a David de una manera muy clara: "Si dejaran sus hijos Mi ley / y no anduvieran en Mis juicios, / si profanaran Mis estatutos / y no guardaran Mis mandamientos, / entonces castigaré con vara su rebelión / y con azotes sus maldades. / Pero no quitaré de él Mi misericordia / ni faltaré a Mi fidelidad. / No olvidaré Mi pacto / ni mudaré lo que ha salido de Mis labios. / Una vez he jurado por Mi santidad / y no mentiré a David. / Su descendencia será para siempre / y su trono como el sol delante de Mí" (Sal. 89:30-36). Esto nos indica la manera en que Dios hizo un pacto con David. Si los descendientes de David dejasen los mandamientos de Dios, Dios los disciplinaría con vara y azotes. Pero Dios nunca se olvidaría del pacto que hizo con David.

El salmo 89 fue escrito cuando los judíos habían perdido

su país y fueron llevados cautivos a Babilonia. En ese entonces parecía que Dios se había olvidado del pacto que había hecho con David. Cuando el salmista vio la situación, como habían perdido el país, le dijo a Dios: "Mas Tú desechaste y menospreciaste a tu ungido, / y te has airado con él. / Rompiste el pacto de tu siervo; / has profanado su corona hasta la tierra" (vs. 38-39). Aquí él le recordaba a Dios del pacto que había hecho con Su siervo. Entonces, inmediatamente, por medio de aferrarse al pacto, le pregunta a Dios: "Señor, ¿dónde están Tus antiguas misericordias, / que juraste a David según Tu fidelidad?" (v. 49). Necesitamos prestar atención a lo que dijo el salmista aquí. Él oró asiéndose del pacto. El Espíritu Santo permitió específicamente que se narrara tal oración, en la cual un hombre le pregunta a Dios. Con esto vemos cuánto le agrada a Dios que el hombre ore asiéndose de la garantía que Él mismo le ha dado al hombre, esto es, el pacto. Esto hace que Dios sea glorificado. A Dios le complace que el hombre exija que Él cumpla lo que Él ha prometido en el pacto.

LA APLICACIÓN DEL PACTO

Si Dios no cumple el pacto que ha hecho con el hombre sería infiel e injusto. Sabemos que la razón por la que Dios hace un pacto con el hombre es para que éste pueda tener la valentía de inquirir de Él y exigirle cumplir con lo que ha prometido en el pacto según la justicia. Dios está atado por el pacto y debe actuar según la justicia. Así que, aquellos que saben lo que es un pacto también saben orar; incluso pueden orar con osadía, como veremos en los siguientes ejemplos:

(1) En Salmos 143:1 dice: "Jehová, oye mi oración, / escucha mis ruegos. / ¡Respóndeme por Tu verdad, por Tu justicia!". Aquí David no le pidió a Dios que le respondiera según Su misericordia, benignidad o gracia, sino según Su verdad y justicia. Él no estaba rogando de una manera lastimosa, sino que le estaba pidiendo a Dios osadamente que le respondiera. Él sabía lo que era un pacto y, al asirse del pacto, sabía cómo pedirle a Dios una respuesta.

(2) Salomón, cuando acabó de edificar el templo, dijo: "Bendito sea Jehová, Dios de Israel, quien con Su mano ha cumplido lo que prometió con Su boca a David mi padre..."

(2 Cr. 6:4; cfr. 2 S. 7:12-13). Entonces se arrodilló delante de la congregación de Israel, levantó sus manos hacia los cielos y dijo: "Jehová, Dios de Israel, no hay dios semejante a Ti en el cielo ni en la tierra, que guardas el pacto y tienes misericordia con Tus siervos que caminan delante de Ti de todo su corazón [...] Ahora, pues, Jehová, Dios de Israel, cumple a Tu siervo David, mi padre, lo que le has prometido, diciendo [...] Ahora, pues, Jehová, Dios de Israel, cúmplase la promesa que hiciste a Tu siervo David" (2 Cr. 6:14, 16-17). Salomón conocía el pacto que Dios había hecho con su padre, David. Sabiendo que algunas partes se habían cumplido y que otras necesitaban ser cumplidas, le pidió a Dios que debido a Su pacto cumpliera con lo que Él había prometido. Así que, él oró e inquirió de Dios asiéndose de la garantía que Dios mismo había dado, a saber, al pacto.

(3) Hemos visto que el salmo 89 fue escrito después que los israelitas fueron capturados y llevados a Babilonia. En aquel entonces, por así decirlo, parecía que todo se había acabado. Parecía que la promesa de Dios se había anulado y que Dios había abandonado el pacto que había hecho con David. Por tanto, parece que el salmista se lo estaba recordando a Dios, al decirle: "Señor, ¿dónde están Tus antiguas misericordias, / que juraste a David según Tu fidelidad?" (v. 49). Esto era orar por medio del pacto; esto era orar asiéndose de la garantía que Dios había dado por medio del pacto.

¿CÓMO PODEMOS CONOCER EL PACTO DE DIOS?

¿Cómo podemos realmente conocer y entender el pacto de Dios? Salmos 25:14 nos dice: "La comunión íntima [el secreto, lit.] de Jehová es con los que le temen, y a ellos hará conocer Su pacto". Sabemos que a menos que Dios revele Su pacto a una persona, ésta no podrá conocer en qué consiste ese pacto. Puede ser que escuche a otros hablar del pacto de Dios, o que conozca un poco acerca del pacto; pero si Dios no se lo revela, estará carente de poder y no podrá asirse a la palabra de Dios. Por tanto, Dios debe primero revelárnoslo en nuestro espíritu.

¿Qué clase de persona puede recibir revelación de parte de Dios? Sólo aquellos que temen a Dios. El Señor les revela

Su secreto únicamente a los que le temen, y hace conocer Su pacto a los que le temen. ¿Qué significa temerle? Temerle significa magnificarle, exaltarle. Una persona que le teme a Dios es una que busca la voluntad de Dios de todo corazón con la intención de someterse al camino de Dios por completo. Es a esta clase de persona a quien Dios le revelará Su secreto y dará a conocer Su pacto. Aquellos que son perezosos, descuidados, impuros, orgullosos y satisfechos consigo mismos nunca pueden esperar que Dios les revele Su secreto. Tampoco pueden esperar que Dios les haga conocer Su pacto. El Señor revela Su secreto y Su pacto sólo a los que le temen. Éste es el testimonio de los que temen a Dios. Por tanto, si realmente deseamos conocer el pacto de Dios, necesitamos aprender a temer a Dios.

CAPÍTULO TRES

UN ESQUEMA GENERAL DEL NUEVO PACTO

Dios ha hecho muchos pactos con el hombre. Los pactos más conocidos son los que hizo con Noé, con Abraham, con Israel en Oreb después de que salieron de Egipto, con Israel en otras ocasiones (Dt. 29:1) y con David. Sin embargo, además de estos pactos, está el que Dios hizo con nosotros mediante el Señor Jesucristo, al cual se le conoce como el nuevo pacto. Aunque hay muchos pactos, los más importantes son el que Dios hizo con Abraham y éste que es llamado el nuevo pacto. Los otros abarcan una esfera más pequeña y tienen menor importancia.

EL NUEVO PACTO CONTINÚA EL PACTO HECHO CON ABRAHAM

El nuevo pacto es una continuación y desarrollo del pacto que Dios hizo con Abraham. Gálatas 3 nos muestra que tanto el nuevo pacto como el pacto hecho con Abraham siguen una misma línea. Entre el pacto de Abraham y el nuevo pacto está el pacto de la ley, el cual fue establecido con Israel (Gá. 3:15-17). Sin embargo, la ley fue añadida a causa de las transgresiones y es básicamente algo adicional (v. 19; Ro. 5:20). Sólo el pacto hecho con Abraham y el nuevo pacto son de la fe y de la promesa (Gá. 3:7, 9, 16, 17; He. 8:6). Por esta razón, siguen una misma línea.

Entre el pacto de Abraham y el nuevo pacto está el pacto de la ley que Dios hizo con Israel. A esto se refiere Hebreos 8:7 como el "primer pacto", al cual también lo llamamos el viejo pacto. Este viejo pacto realmente no se refiere a los treinta y nueve libros que comúnmente llamamos el Antiguo Testamento, desde Génesis hasta Malaquías, sino que hablando con propiedad, el viejo pacto comienza en Éxodo 19 y continúa hasta la muerte del Señor Jesús. Las condiciones del viejo pacto eran bilaterales, y esta es la razón por la cual habían dos tablas del pacto en el Arca (Éx. 31:18). Si los hijos de Israel guardaban la ley, Dios los bendeciría; si quebrantaban la ley, Dios los castigaría. Éste es el viejo pacto. Sin embargo, antes del viejo pacto había uno anterior, el pacto que Dios hizo con Abraham, y el nuevo pacto no es una continuación del viejo pacto, sino la continuación del pacto hecho con Abraham.

EL PRIMER PACTO TIENE DEFECTOS

Hebreos 8:7 dice: "Porque si aquel primero hubiera sido sin defecto, no se hubiera procurado lugar para el segundo". Esto nos dice que el primer pacto tiene defectos. En lo que se refiere a la *naturaleza* del primer pacto, "la ley es santa" (Ro. 7:12), "la ley es espiritual" (v. 14) y "la ley es buena" (1 Ti. 1:8). Pero en lo que se refiere a la *función* que cumple el primer pacto, se dice que "por medio de la ley es el conocimiento claro del pecado" (Ro. 3:20). "La ley no es de fe, sino que dice: 'El que hace estas cosas vivirá por ellas'" (Gá. 3:12). Esto indica que la ley requiere que el hombre haga el bien, pero no le da al hombre la vida y el poder que necesita para hacer el bien: "Porque lo que la ley no pudo hacer, por cuanto era débil por la carne..." (Ro. 8:3). Así que, "por las obras de la ley ninguna carne será justificada delante de Él..." (3:20). En resumen, "nada perfeccionó la ley" (He. 7:19). Por tanto, el primer pacto tenía defectos.

Necesitamos ver que en Éxodo 19 al 24 se registran las palabras del pacto de Dios. Tres meses después de que los hijos de Israel salieron de Egipto llegaron al desierto de Sinaí. Allí pusieron sus tiendas al pie de la monte, y Moisés fue a Dios. Dios quería que él le dijera a los hijos de Israel: "Ahora, pues, si dais oído a Mi voz y guardáis Mi pacto, vosotros seréis Mi especial tesoro sobre todos los pueblos, porque mía toda la tierra [...] Todo el pueblo respondió a una, diciendo: Haremos todo lo que Jehová ha dicho" (19:1-8). Después de que Moisés declaró todo el pacto a la congregación, "tomó la sangre, la roció sobre el pueblo y dijo: Ésta es la sangre del pacto que Jehová ha hecho con vosotros sobre todas estas cosas" (24:8).

En este pacto se encuentran tales palabras como: "No tendrás dioses ajenos delate de Mí. No te harás imagen ni ninguna semejanza [...] No te inclinarás a ellas ni las honrarás" (20:3-5). ¿Podían los hijos de Israel hacer esto? Sabemos que incluso antes de que Moisés bajara de la montaña con las tablas del pacto, ellos ya estaban haciendo el becerro de oro y lo estaban adorando (32:1-8). Es decir, incluso antes que las tablas del pacto bajaran del monte, los hijos de Israel ya habían sido infieles al pacto. Éste era un defecto del primer pacto.

Después de esto, los hijos de Israel siguieron fracasando; no pudieron guardar el pacto de Dios. Ellos provocaron a Dios en el desierto. Le provocaron, le pusieron a prueba y vieron Sus obras cuarenta años. Sin embargo, siempre anduvieron extraviados en su corazón y no conocieron los caminos de Dios (He. 3:8-10). Vieron las "obras" de Dios, pero no conocían los "caminos" de Dios. Una vez más, éste era otro defecto del primer pacto.

"Porque encontrándoles defecto dice: 'He aquí vienen días, dice el Señor, en que concertaré con la casa de Israel y la casa de Judá un nuevo pacto; no conforme al pacto que hice con sus padres el día que los tomé de la mano para sacarlos de la tierra de Egipto; porque ellos no permanecieron en Mi pacto, y Yo me desentendí de ellos, dice el Señor'" (8:8-9). Esto significa que Dios quería que ellos continuaran siendo fieles al pacto, pero ellos no pudieron serlo. En cierta ocasión decidieron seguir al Señor, pero no pudieron seguirle fielmente cada día. Aunque habían momentos en que ellos estaban avivados, no podían mantener su condición avivada día tras día. Éste era el defecto del primer pacto.

Pablo dijo: "Sabemos que la ley es espiritual; mas yo soy de carne, vendido al pecado [...] Pues yo sé que en mí, esto es, en mi carne, no mora el bien; porque el querer el bien está en mí, pero no el hacerlo" (Ro. 7:14, 18). Esta experiencia que tuvo Pablo también nos dice que la ley en sí misma es espiritual, pero no puede hacer, por cuanto es débil por la carne (8:3). Eso también era un defecto del primer pacto.

EL NUEVO PACTO ES EL MEJOR PACTO

El primer pacto tenía defectos y ¿el segundo? El segundo

pacto es el nuevo pacto (He. 8:7, 13), el cual ha sido establecido sobre mejores promesas (v. 6). El nuevo pacto no se escribe en tablas de piedra, sino en tablas de corazones de carne (2 Co. 3:3). El nuevo pacto imparte las leyes de Dios en la mente del hombre y las escribe sobre el corazón del hombre (He. 8:10). Es decir, en el nuevo pacto, el que exige algo de nosotros es Dios, y el que nos capacita para hacer la voluntad de Dios también es Dios. El nuevo pacto es un pacto en el cual Dios les da a los hombres la vida y el poder que necesitan para hacer el bien que Él les exige, de modo que Él pueda ser el Dios de ellos y ellos puedan ser Su pueblo (He. 8:10; Tit. 2:14). El nuevo pacto permite que el hombre conozca a Dios de manera más profunda y de forma interna, sin que ninguno enseñe a su prójimo (He. 8:11). Por tanto, el nuevo pacto es el pacto de la santificación (10:29), el mejor pacto (7:22; 8:6) y un pacto eterno (13:20). Debemos decir: "¡Aleluya! ¡Cuán dulce y cuán glorioso es el nuevo pacto! Ciertamente, ¡está lleno de gracia!".

EL NUEVO PACTO
INCLUYE LAS PROMESAS DE DIOS
Y LOS HECHOS CUMPLIDOS POR DIOS

Hemos visto anteriormente que la palabra de gracia, la cual nos ha dado Dios, incluye las promesas de Dios, los hechos cumplidos de Dios y los pactos de Dios. También hemos visto que el pacto de Dios se incluye tanto las promesas como los hechos de Dios. Ahora veamos que las promesas de Dios y los hechos cumplidos por Dios están incluidos en el pacto de Dios. Las Escrituras nos muestran que el pacto de Dios equivale a las promesas de Dios, con la diferencia que la promesa fue hablada por la boca de Dios, y el pacto fue hecho por medio de un juramento (6:17). La promesa ata a Dios, y el pacto ata a Dios todavía más. Cuando Dios hizo un pacto con Abraham, juró por Sí mismo (vs. 13-14): "Por lo cual, queriendo Dios mostrar más abundantemente a los herederos de la promesa la inmutabilidad de Su consejo, interpuso juramento" (v. 17). Porque "juró el Señor, y no se arrepentirá" (7:21). Por tanto, un pacto limita a Dios y lo ata más que una promesa.

Hebreos 9:15-18 nos muestra claramente que el nuevo pacto

consta de promesas y también de hechos. El versículo 16 dice: "Donde hay testamento, es necesario que conste la muerte del testador". En el texto original, los términos "testamento" y "pacto" son la misma palabra. Por tanto, la palabra *pacto* tiene dos significados en las Escrituras: el primero es un pacto o contrato, y el segundo significa un testamento o última voluntad. Por tanto, podemos decir que el nuevo pacto es un pacto, como también un testamento.

Las promesas de Dios

Un pacto no se puede establecer si primero no se ha hecho una promesa. Todo pacto debe incluir una promesa. Una promesa ordinaria no necesariamente incluye arras, pero la promesa que ha sido pactada debe pasar por un proceso legal; debe estar protegida y hecha vigente por la ley. Por tanto, todo pacto que Dios hace conlleva una promesa de Dios. Aquellos que han sido enseñados a fondo por la gracia de Dios y los que le conocen profundamente, consideran que hay poca diferencia entre Sus promesas y Su pacto, porque saben que Dios es fiel como también justo. Creen que si Dios ha prometido algo, Él también lo cumplirá. No consideran necesario que todas Sus promesas pasen por un proceso legal. Para ellos, la promesa y el pacto de Dios son lo mismo. Sin embargo, para aquellos que son débiles en la fe, existe una gran diferencia entre la promesa de Dios y el pacto de Dios; les parece que el pacto es la garantía de que la promesa de Dios ciertamente será cumplida. No podemos decir que todas las promesas de Dios han llegado a ser pactos, pero sí nos atrevemos a decir que todos los pactos de Dios incluyen Sus promesas.

Hebreos 8:6 dice: "Ahora tanto más excelente ministerio ha obtenido, cuanto es Mediador de un mejor pacto, establecido sobre mejores promesas". Este versículo nos dice que el nuevo pacto es un mejor pacto porque se estableció sobre mejores promesas.

Los hechos de Dios

En el pacto de Dios no sólo tenemos las promesas, sino también el testamento. Hebreos 9:15 habla de "la promesa de la herencia eterna" y el versículo 16 habla del testamento. Un testamento, la última voluntad, indica que hay una propiedad, un legado. Todas las cosas legadas son hechos. Por ejemplo, un padre de familia puede hacer un testamento especificando lo que se deberá hacer con sus posesiones y cómo deberán ser distribuidas. Estas deben pasar a sus hijos o algún otro. Entonces los que reciben la herencia disfrutan lo que él les ha legado. Por tanto un testamento, no se compone de vanas palabras, sino que contiene ciertos hechos. Un testamento es un pacto, por lo que decimos que el pacto incluye los hechos de Dios.

Un pacto es diferente de las promesas de Dios y de los hechos de Dios; sin embargo, el pacto incluye la promesa de Dios y los hechos de Dios. Pero, si el pacto no incluye las promesas y los hechos de Dios, entonces es sólo palabrerías vanas y carece de significado. Damos gracias a Dios porque Él tiene muchas promesas relacionadas con el nuevo pacto, y porque también hay muchos hechos que están relacionados con el nuevo pacto. Debemos decir: "¡Aleluya, cuán rico y completo es el nuevo pacto!".

LA ERA DEL NUEVO PACTO

Cuando hablamos de la era del nuevo pacto, debemos hacernos tres preguntas: (1) ¿Con quién originalmente estableció Dios el nuevo pacto? (2) ¿Cuándo Dios hizo el nuevo pacto? y (3) ¿Por qué hoy es la era del nuevo pacto?

¿Con quién hizo Dios el nuevo pacto?

Según las Escrituras, Dios nunca hizo un pacto con los gentiles. Por tanto, el nuevo pacto no puede ser un pacto que Dios hizo con los gentiles. Dios tampoco jamás había hecho un pacto con la iglesia antes de este tiempo. Así que, si nunca hizo un primer pacto, un viejo pacto, con la iglesia, no podemos decir que Dios hizo un segundo pacto, un nuevo pacto, con la iglesia. Entonces, ¿con quién hizo Dios el nuevo pacto? Jeremías 31:31-32 dice: "Vienen días, dice Jehová, en los cuales haré un nuevo pacto con la casa de Israel y con la casa de Judá. No como el pacto que hice con sus padres el día en que tomé su mano para sacarlos de la tierra de Egipto". Cuando los hijos de Israel salieron de Egipto, el Señor Dios hizo un pacto con ellos. Más tarde, Dios les dijo que Él haría un nuevo pacto con ellos. Estas palabras nos muestran claramente que Dios hizo un pacto, pero no con los gentiles, sino con la casa de Israel y con la casa de Judá.

¿Cuándo Dios hizo el nuevo pacto?

Para determinar cuándo se hizo el nuevo pacto, debemos considerar las palabras de Jeremías 31:31 que dicen: "Vienen días". Sabemos que cuando se dijeron estas palabras, esos días aún no habían llegado. El versículo 33 dice: "Pero éste es el pacto que haré con la casa de Israel después de aquellos días, dice Jehová". ¿Cuáles son los días a los que se refieren aquí con la frase *después de aquellos días*? Creemos que según el contenido de este pacto, se refieren al principio del milenio. Será en aquel entonces que Dios hará un nuevo pacto con la casa de Israel.

¿Por qué hoy es la era del nuevo pacto?

Puesto que el nuevo pacto es un pacto que Dios hará con la casa de Israel en el futuro, ¿por qué decimos que hoy es la era del nuevo pacto? Al llegar a este punto debemos darnos cuenta de que esto es una gracia sumamente maravillosa y excelente. En la noche que el Señor Jesús fue traicionado, "tomando la copa, y habiendo dado gracias, les dio, diciendo: Bebed de ella todos; porque esto es Mi sangre del [nuevo] pacto..." (Mt. 26:27-28). "¡Nuevo pacto!". ¡Oh, suena como música a nuestros oídos! ¡Qué maravilloso! ¡Qué excelso es!

Aunque la frase *nuevo pacto* fue escrita en el libro de Jeremías, no fue mencionada por cientos de años. Era un tesoro que había sido olvidado. Aunque el Señor Jesús estuvo en la tierra por más de treinta años nunca mencionó el nuevo pacto. Día tras día, año tras año, Él nunca lo mencionó. ¿Por qué cuando Él estaba cenando con Sus discípulos, tomó la copa y la bendijo, y se las dio a ellos diciendo: "Bebed de ella todos; porque esto es Mi sangre del [nuevo] pacto"? No sólo mencionó el nuevo pacto; también dijo: "Esto es mi sangre del [nuevo] pacto". Deberíamos decir: "¡Oh, santo Señor, lleno de gracia, con lágrimas de agradecimiento te adoramos y te alabamos! ¡Qué nuevo pacto es éste, el cual está impregnado de vida y de riquezas! Para aquellos que no lo conocen, éste se compone sólo de letras. Señor, sólo Tú sabías en qué consiste este pacto, y ahora Tú lo has revelado a nosotros. Podemos decir que has abierto el almacén de tesoros celestiales y espirituales, y has legado todos sus tesoros a los que Tú amas. ¡Oh, Señor, cuán maravilloso y lleno de gracia eres Tú! Una vez más te damos gracias y te alabamos por ello".

Debido a la excelente gracia del Señor, el nuevo pacto se aplica a todos los que son hallados por medio de la gracia. Aunque no es hasta "después de aquellos días" (He. 8:10) que Dios hará un nuevo pacto con las casas de Israel y de Judá, aun así el Señor pagó el precio de Su sangre, lo cual hizo posible que los que Él redimió disfruten primero del nuevo pacto. Desde el día en que murió, el nuevo pacto fue establecido. Es en virtud de esta gracia sobreabundante del Señor que podemos tener un anticipo de la bendición del nuevo pacto. En principio, sucede lo mismo que cuando Dios hizo un pacto con Abraham. Él no hizo el pacto con nosotros, sino con Abraham; pero de la misma manera en que Abraham fue justificado por la fe, nosotros también podemos ser justificados por la fe. De igual manera, el nuevo pacto que Dios le prometió a Israel para que lo disfrutaran en el futuro, debido a que el Señor derramó Su sangre, hoy nosotros lo podemos disfrutar, pues somos aquellos que han sido puestos bajo el nuevo pacto. Hoy en día, el Señor nos está edificando según el principio del nuevo pacto y bendiciéndonos con las bendiciones del nuevo pacto. Sabemos que el Señor no sólo derramó Su sangre para redimirnos, sino también para establecer el nuevo pacto. La redención era solamente el procedimiento, el camino, para alcanzar la meta; y la meta a la cual el Señor apuntaba cuando derramó Su sangre era establecer el nuevo pacto. La redención se relaciona estrechamente con el establecimiento del nuevo pacto, porque si el problema relativo al pecado no se hubiera solucionado, no se nos hubieran otorgado las bendiciones del nuevo pacto. Agradecemos al Señor porque Su sangre no solamente dio solución al problema del pecado, sino que también estableció el nuevo pacto. Por tanto, esta es verdaderamente la era del nuevo pacto. ¡Oh, la era del nuevo pacto es una era bendecida! ¡Debemos alabar a Dios!

EL CONTENIDO DEL NUEVO PACTO

Ahora haremos un resumen del contenido del nuevo pacto. En capítulos posteriores examinaremos su contenido más detalladamente.

Hebreos 8:10-12 dice: "Por lo cual, éste es el pacto que haré con la casa de Israel después de aquellos días, dice el Señor: Pondré Mis leyes en la mente de ellos, y sobre su corazón las escribiré; y seré a ellos por Dios, y ellos me serán a Mí por pueblo; y ninguno enseñará a su prójimo, ni ninguno a su hermano, diciendo: Conoce al Señor; porque todos me conocerán, desde el menor hasta el mayor de ellos. Porque seré propicio a sus injusticias, y nunca más me acordaré de sus pecados". Este pasaje revela claramente que el nuevo pacto incluye tres partes: primero Dios pone Sus leyes en la mente de los hombres y las escribe en el corazón de ellos. Así, Dios llega a ser su Dios, y ellos llegan a ser el pueblo de Dios. Esto significa que Dios mismo entra en el hombre para ser uno con el hombre. En segundo lugar, mediante estas leyes que están dentro del hombre, él puede conocer a Dios sin que otros se lo enseñen. Esto se refiere al conocimiento interno que tenemos de Dios. En tercer lugar, Dios será propicio a las injusticias del hombre y nunca más se acordará de los pecados del hombre; esto se refiere al perdón.

Hebreos 8:10-11 es realmente un pensamiento continuo. En el versículo 12 comienza otro pensamiento. Basándonos en la palabra "porque" del versículo 12, vemos que el perdón ya es un hecho cumplido. Desde la perspectiva de Dios, los versículos 10 y 11 expresan Su meta; por lo tanto, se mencionan primero. El versículo 12 hace alusión al procedimiento que efectúa Dios para alcanzar Su meta; por tanto, se menciona después. Según nuestra experiencia espiritual, Dios primero es propicio a nuestras injusticias y perdona nuestros pecados. Luego, Él imparte Sus leyes en nuestra mente y las escribe en nuestro corazón, de modo que Él pueda ser nuestro Dios y nosotros podamos ser Su pueblo; finalmente, Él nos capacita para que tengamos un conocimiento interior, más profundo, de Sí mismo.

Podemos enumerar estas tres partes del nuevo pacto de la

manera siguiente: (1) el lavamiento, (2) la vida y el poder, y
(3) el conocimiento interior.

El nuevo pacto realmente satisface nuestra necesidad. No
necesita añadírsele nada, y no se le puede quitar nada. Lo que
Dios ha hecho es verdaderamente completo. Dios nos ha salvado y por medio del Señor Jesucristo, nos ha dado estas tres
grandes bendiciones. Cuando tenemos el nuevo pacto, tenemos el lavamiento, la vida y el poder. También tenemos un
conocimiento interior que nos permite conocer a Dios a mayor
profundidad. ¡Qué completo y cuán glorioso es el nuevo pacto!
¡Cuánta gracia tiene Dios para con nosotros!

Capítulo cuatro

LA GARANTÍA DEL NUEVO PACTO

Mateo 26:28 dice: "Esto es Mi sangre del pacto, que por muchos es derramada para perdón de pecados". Este versículo revela que la sangre de Cristo es la "sangre del [nuevo] pacto". Esta sangre tiene como fin particular establecer un pacto. El nuevo pacto fue establecido por medio de la sangre; por tanto, el nuevo pacto es confiable; es seguro.

LA SANGRE ES NECESARIA

Necesitamos entender por qué el nuevo pacto se debe establecer por medio de la sangre y por qué un pacto es eficaz solamente cuando se establece con la sangre. Para entender esto debemos volver a la historia de Edén y al requisito de la ley.

Sabemos que cuando Adán fue echado fuera de Edén, perdió la posición dónde tenía comunión con Dios. Él perdió la vida y también perdió su herencia. La muerte reinó desde Adán hasta Moisés (Ro. 5:14). Desde Moisés hasta Cristo no sólo reinó la muerte, sino que el pecado también reinó (v. 21). Esto no significa que desde Adán hasta Moisés no había pecado. La Escritura nos dice que "antes de la ley, había pecado en el mundo; pero cuando no hay ley, el pecado no se carga a la cuenta de uno" (v. 13). Dios le dio a Moisés el pacto de la ley sobre el monte de Sinaí. Este pacto era condicional. Si el hombre permanecía en las palabras de este pacto, Dios le bendeciría; si el hombre no permanecía en las palabras de este pacto, le maldeciría (Gá. 3:12, 10). Entonces ¿qué hizo la ley por el hombre? La ley le dio al hombre el conocimiento del pecado (Ro. 3:20). Además de esto, el hombre estaba bajo la custodia de la ley, guardado por ella (Gá. 3:23). Esto significa que anteriormente el hombre estaba bajo el dominio de la muerte, porque la muerte reinaba; pero ahora también se hallaba bajo el poder del pecado, porque el pecado reinaba.

Por tanto, antes de que Cristo viniera a la tierra, el hombre sufrió dos grandes pérdidas: primero, sufrió debido al pecado de Adán; y segundo, sufrió porque no podía guardar la ley de Dios. Puesto que la muerte y el pecado reinaron, el hombre estaba muy apartado de Dios y no podía disfrutar de la presencia de Dios. El hombre se volvió insensato y no podía conocer a Dios; perdió la vida y el poder espirituales para hacer la voluntad de Dios. Al estar en Adán, bajo la ley, ¿de qué puede jactarse el hombre? Él sólo puede clamar: "¡Miserable de mí! ¿quién me librará del cuerpo de esta muerte?" (Ro. 7:24). ¿No hay entonces ninguna manera de resolver el problema del pecado y de la muerte? ¡Por supuesto que sí la hay! Por el derramamiento de la sangre del Señor Jesús se resuelven estos dos problemas.

Hemos visto que de Adán a Moisés reinó la muerte y que de Moisés a Cristo no sólo reinó la muerte, sino que también reinó el pecado. Alabado sea Dios, ¡la sangre del Señor Jesús ha resuelto estos dos problemas por nosotros! Debido a que el Señor Jesús ha derramado Su sangre, nosotros hemos sido lavados de nuestros pecados y no tenemos que morir.

La intención original de Dios era impartir Su propia vida y todo lo que Él es en nosotros. Pero nos alejamos de Dios debido a nuestros pecados y a la muerte que resulta del pecado. Ya no pudimos obtener todo lo que proviene de Dios. Perdimos todo lo que Dios había dado, y también perdimos todo lo que Dios se había propuesto darnos. Pero la sangre del Señor Jesús nos limpia de nuestros pecados. Él también ha restaurado nuestra relación con Dios (Ef. 2:13) de modo que todo lo que Dios nos ha dado y nos dará pueda llegar a ser nuestro sin ningún impedimento. Por tanto, la sangre del Señor Jesús no solamente nos reconcilió con Dios (Col. 1:20), sino que también nos trae a Dios mismo (Ro. 8:32).

La sangre de Cristo no sólo efectuó la redención; también efectuó una redención eterna. La sangre de toros y de machos cabríos, de la cual dependían las personas del Antiguo Testamento, sólo les recordaba del pecado todos los años (He. 10:3-4). Pero Cristo, por medio de Su propia sangre, entró una vez para siempre en el Lugar Santísimo, obteniendo así eterna redención (9:12). La sangre de Cristo purifica nuestra conciencia (v. 14) de modo que ya no tengamos "consciencia de pecado" (10:2). Alabado sea Dios, ¡la sangre de Cristo soluciona eterna y completamente el problema del pecado!

La sangre de Cristo nos permite recibir el perdón de pecados (He. 9:22; Mt. 26:28; Ef. 1:7). Tan sólo darse cuenta de esto es algo muy glorioso. Todos los que sienten la vergüenza del pecado y conocen lo odioso que es el pecado se dan cuenta de esto. Pero alabamos a Dios que la sangre del Señor Jesús no solamente soluciona el problema del pecado y de la muerte, sino que también nos restaura la herencia que hemos perdido y nos trae aquello que no teníamos en el pasado. Esta sangre ha hecho una cosa muy maravillosa: nos ha permitido obtener a Dios. La sangre del Señor Jesús no solamente nos redime del pecado de modo que no suframos sus consecuencias, sino que también restaura totalmente lo que perdimos en el huerto de Edén y también añade cosas nuevas. El Señor Jesús dijo: "Esta copa es el nuevo pacto en Mi sangre" (Lc. 22:20). Por una parte, la sangre del Señor fue derramada con miras a la redención. Quita por el lado negativo esas cosas que nos dañan. Por otra parte, Su sangre fue derramada a fin de establecer el nuevo pacto. Restaura por el lado positivo la herencia que habíamos perdido y también nos da cosas nuevas. Por tanto, la sangre del Señor Jesús no sólo tiene como fin la redención, sino también la restauración, restaurando lo que hemos perdido y trayéndonos aquello que no teníamos en el pasado.

LA RELACIÓN
ENTRE LA SANGRE Y EL PACTO

En cuanto a la relación que existe entre la sangre y el pacto, podemos decir que la sangre es la base, mientras que el pacto es el contrato, la escritura. La sangre es la base sobre la cual se establece el pacto, mientras que el pacto es el contrato establecido con la sangre. Sin la sangre, un pacto no se puede establecer, y mucho menos entrar en vigor. La herencia que Dios nos ha dado se registra en el pacto contraído. Éste es el nuevo pacto que Dios hizo con nosotros en virtud de la sangre del Señor Jesús. Es por medio de este nuevo pacto que recibimos la herencia espiritual que Dios nos ha dado.

Por tanto, el nuevo pacto es un asunto absolutamente legal. Fue establecido completamente según el procedimiento de la justicia de Dios. El nuevo pacto no se compone simplemente de algunas declaraciones verbales hechas por Dios, sino de un contrato por escrito que Dios ha establecido con nosotros por medio de la sangre de Cristo. Es importante entender que la salvación que Dios efectuó antes de la crucifixión del Señor Jesús, se cumplió por medio de Su gracia, pero que después de la crucifixión del Señor se cumplió por medio de Su justicia. Esto no significa que después de la crucifixión del Señor no existiera la gracia, sino que más bien, la gracia viene a ser como el agua, y la justicia como la tubería del agua. La gracia de Dios fluye a nosotros a través de la tubería de la justicia. Por tanto, Romanos 5:21 dice: "Así como el pecado reinó en la muerte, así también la gracia reine por la justicia para vida eterna mediante Jesucristo, Señor nuestro". La gracia reina por medio de la justicia. Dios no le da la gracia al hombre por sí sola; Él le da la gracia al hombre por medio de la justicia. Dios nos ama, y el Señor Jesús vino a morir por nosotros. Ésta es la gracia de Dios. Si Dios no nos amara ni nos diera Su gracia, el Señor Jesús no habría venido para cumplir la redención por nosotros. Pero el Señor Jesús ha muerto por nosotros, y la redención se ha cumplido. Debido a esto, cuando creemos en el Señor somos salvos; esta es la salvación por medio de Su justicia.

No podemos decir que Dios no tiene gracia. Si Dios no tuviera gracia, no existiría el nuevo pacto. Pero si todo lo que Dios nos ha dado se basara únicamente en la gracia, nuestra fe podría ser sacudida, porque si la gracia no pasa por el proceso legal, la gracia podría interrumpirse. Pero, ¡alabado sea Dios! Él no sólo tiene la gracia, sino que Él expresa Su gracia por medio de un pacto. A fin de darnos la gracia, Él se liga a un pacto. Por tanto, podemos decir que la gracia se aparece con la forma de justicia. Tal justicia no anula la gracia, sino que es la expresión más alta de la gracia.

Lo que recibimos es la gracia de Dios; pero Dios ha usado la sangre para hacer un pacto con nosotros, de modo que por medio del pacto le podamos pedir a Dios que trate con nosotros según Su justicia. Nos basamos sobre el terreno de la gracia, pero la gracia viene a nosotros por medio de la justicia. La sangre de Cristo ha llegado a ser el fundamento de la justicia, de modo que el pacto que Dios ha hecho con nosotros no sea anulado. Nuestra posición está sobre el fundamento de la sangre, el fundamento de la justicia, para tratar con Dios. Por tanto, Dios no tiene otra alternativa que cumplir en nosotros todo lo que consta en el pacto.

Una persona con experiencia en el Señor dijo: "El pacto de Dios es la terapia que Él aplica a los incrédulos. Él usa Su pacto para sanarlos". Por ejemplo, algunos pueden pensar que para recibir el perdón de pecados ellos deben orar hasta que sientan paz; entonces tendrán una prueba del perdón. Pero la Palabra de Dios dice: "Si confesamos nuestros pecados, Él es fiel y justo para perdonarnos nuestros pecados, y limpiarnos de toda injusticia" (1 Jn. 1:9). Debemos prestar atención a si hemos *confesado* o no nuestros pecados. Por supuesto, la confesión de la que se habla aquí no es un acto descuidado sin la menor sensación de odio hacia el pecado. La confesión aquí se refiere a realmente ver el pecado como pecado bajo la luz y a condenarlo por lo que es. Al estar desnudos delante de Dios, confesamos el pecado que hemos visto; confesamos el pecado que hemos condenado. Cuando confesamos los pecados, Dios nos perdonará y limpiará de nuestros pecados. Por tanto, una vez que hayamos confesado, debemos creer que Dios ha perdonado, y nuestros corazones deben tener perfecta paz. Un hermano dijo: "Si uno cumple con su parte, ¿es posible que Dios no cumpla con la Suya?". Esta observación es muy significativa. El problema depende de si hemos confesado o no. Si realmente hemos confesado nuestro pecado, no nos debe importar lo que sentimos, ni nos debe importar lo que otros digan de nosotros. Tampoco nos deben importar los pensamientos que Satanás nos envíe; sólo debemos creer en la Palabra de Dios.

Por tanto, la vida cristiana no tiene ningún otro secreto que vivir aferrados a la Palabra de Dios, creyendo que Dios es fiel y justo, y que lo que Él ha dicho lo hará. Si nos basamos completamente sobre el pacto que el Señor Jesús ha establecido, Dios nos cuidará y cumplirá lo que ha dicho en el pacto, porque Él ha aceptado la sangre del Señor Jesús. Dios ha atado Su propia voluntad al pacto y sólo puede moverse dentro de Su pacto. Si Él no hubiera establecido un pacto con nosotros, podría tratarnos como deseara. Sin embargo, puesto que ha hecho un pacto con nosotros, Él sólo puede actuar según lo que se dice en el pacto. Él debe cumplir con Su pacto; no puede ser injusto. Alabamos a Dios porque Él nos ama y ha tenido misericordia de nosotros hasta tal punto que no puede tratarnos de ninguna otra manera excepto por medio de la justicia. ¡No hay mayor gracia que ésta!

Debemos decir que sin la sangre del Señor Jesús no tenemos derecho a nada. ¡Pero por medio de la sangre del Señor Jesús tenemos derecho a todo! Por medio de la sangre del Señor Jesús tenemos derecho de disfrutar todo lo que consta en el pacto. Cuando, por medio de la sangre del Señor Jesús, le pedimos a Dios que nos dé Sus bendiciones según el pacto, Dios no puede ser injusto. Él debe dárnoslas según el pacto. Este nuevo pacto fue hecho por el Señor con Su propia sangre. El Señor ha pagado el precio de la sangre. Ahora podemos pedirle a Dios que realice para nosotros todo lo que consta en el pacto según el valor de la sangre que está delante de Él.

Un hermano dijo una vez: "Nadie realmente sabe cuánto incluye la sangre". Es posible que no entendamos el valor de la sangre, y tampoco es necesario que veamos el valor que tiene la sangre. Pero podemos pedirle a Dios que nos trate según el valor de la sangre delante de Él y según el pacto que el Señor hizo con Su sangre. Sólo necesitamos decirle a Dios: "Yo deseo esto, porque Tú eres el Dios del pacto". Nuestro Dios nunca puede ser infiel; Él no quebrantará Su pacto.

La sangre del nuevo pacto soluciona el problema de nuestros pecados y quita los obstáculos entre Dios y nosotros. También restaura la herencia que perdimos y permite que Dios nos dé todas las bendiciones espirituales en los lugares celestiales, y todas las cosas que pertenecen a la vida y a la piedad (Ef. 2:12-13, 18-19; 1:3; 2 P. 1:3). Todas las cosas que están escritas claramente en el nuevo pacto son nuestras bendiciones legítimas en virtud de la sangre. Según Hebreos 8:10-12, el nuevo pacto incluye tres componentes muy preciosos mencionados en los capítulos anteriores: el lavamiento, la vida y el poder, y el conocimiento interior. Hablaremos más sobre estos asuntos en los capítulos del 6 al 8.

La razón por la que no sabemos cómo hablarle a Dios, según lo que está explícitamente escrito en el pacto, es que no sabemos cuántas bendiciones nos ha otorgado la sangre. ¡Es importante entender que todas las bendiciones espirituales y la herencia espiritual nos son otorgadas por medio del pacto que fue establecido por la sangre! La sangre es la base sobre la cual recibimos el nuevo pacto.

Por tanto, cuando pedimos según el pacto, no estamos pidiendo cosas que no nos pertenecen a nosotros; más bien estamos reclamando los asuntos que siempre nos han pertenecido y que han sido reservados en Dios para nosotros (1 P. 1:3-4). Al orar según el pacto no estamos orando sin base, sino reclamando lo que Dios nos ha dado en el pacto. Cuando oramos según el pacto, Dios no puede evitar estar de nuestro lado. Por tanto, cuando venimos a Dios mediante el nuevo pacto establecido por la sangre, muchas veces ya no necesitamos pedir nada, sino sólo necesitamos reclamar. Esto no significa que hoy no necesitamos orar, sino que nuestra oración debe consistir más en reclamar que pedir.

Un hermano que conoce al Señor dijo que, desde el tiempo del Gólgota todo lo que se pide, que esté en las Escrituras, debe cambiarse a tomar. Aquellos que conocen al Señor, que conocen el lugar de Gólgota y que saben lo que significa la sangre dirán: "¡Amén!". Hermanos y hermanas, debemos recordar que por medio de la sangre le estamos pidiendo a Dios que nos dé las cosas a las cuales tenemos derecho. Ésta es la razón por la cual decimos repetidas veces que el principio sobre el cual Dios nos trata ahora está basado en Su justicia, y no sólo en Su gracia. Entonces, lo que se nos ofrece en el nuevo pacto es todo aquello a lo que tenemos derecho de recibir. Según la justicia de Dios, Él no tiene otra alternativa que darnos lo que está claramente escrito en el nuevo pacto, porque lo estamos reclamando a Dios según el pacto.

A veces parece que Dios se ha olvidado de Su pacto. En esos momentos podemos recordárselo. En Isaías 43:26, Dios dice: "Hazme recordar". Dios quiere que el hombre le recuerde. A veces podemos hablarle a Dios con reverencia de este modo:

"Dios, te pedimos que te acuerdes de Tu pacto, Tus palabras prometidas. Oramos pidiendo que actúes según Tu promesa y Tu pacto". Cuando preguntamos así y creemos así, recibiremos lo que pedimos.

UNA GRAN ORACIÓN

Hebreos 13:20-21 dice: "Ahora bien, el Dios de paz que resucitó de los muertos a nuestro Señor Jesús, el gran Pastor de las ovejas, en virtud de la sangre del pacto eterno, os perfeccione en toda obra buena para que hagáis Su voluntad, haciendo Él en nosotros lo que es agradable delante de Él por medio de Jesucristo; a Él sea la gloria por los siglos de los siglos. Amén". Ésta es una oración de fe. Ésta también es una gran oración en las Escrituras. El escritor de Hebreos le pidió a Dios, en virtud de la sangre del pacto eterno, hacer que el Jesucristo resucitado more en nosotros, para que podamos hacer la voluntad de Dios y cumplir las cosas que le son agradables. Esto nos muestra que una oración con fe, una gran oración, es una que se hace sobre la base del pacto eterno de la sangre del Señor.

Necesitamos la fe para orar aferrándonos al pacto. Debemos decirle a Dios con base en el pacto: "Oh Dios, te estoy orando a Ti basado en Tu pacto". Esta clase de oración es poderosa y eficaz. Nuestra fe en el pacto aumentará nuestra confianza cuando oramos a Dios.

Debemos recordar que tenemos el derecho de orar a Dios según el pacto. Podemos pedirle a Dios que actúe según el pacto, pero sin fe la oración será inútil. Todo lo que Dios nos ha dado en el nuevo pacto está depositado como si uno deposita dinero en el banco. Si creemos, tan sólo tenemos que retirarlo.

El nuevo pacto fue establecido por medio de la sangre del Señor Jesús; por tanto, el nuevo pacto es seguro y confiable. Nuestro Dios se limita al pacto. Dios se dignó a hacer un pacto con el hombre porque Él desea que el hombre crea en Él y se acerque a Él. Dios se humilló a fin de hacer un pacto de modo que le pueda dar una garantía al hombre. El hombre puede venir a Dios y pedirle con base en esta garantía. Por tanto, podemos cantar con denuedo:

Firme en las promesas no desmayaré,
Siempre al Espíritu responderé,
Y en mi Salvador descansaré por fe,
Firme en las promesas de mi Rey.

Firme, firme,
Firme en las promesas de mi Dios y Cristo;
Firme, firme,
Firme en las promesas de mi Rey.

(*Himnos,* #161)

Además, proclamamos con alegría:

¡Qué fundamento tan firme, santos del Señor,
Puesto para nuestra fe en Su excelente palabra!
¿Qué más puede decirnos de lo que Él ya nos dijo,
A nosotros que nos refugiamos en Jesús?

(*Hymns,* #339)

CAPÍTULO CINCO

EL NUEVO PACTO Y EL TESTAMENTO

En el capítulo 3 indicamos que en el nuevo pacto existen tanto promesas como hechos. También indicamos que la palabra *testamento* en Hebreos 9:16 es la misma palabra que se tradujo "pacto" en el texto original. El libro de Hebreos hace referencia varias veces al pacto. De hecho, podemos decir que Hebreos tiene este propósito específico, es decir, decirnos en qué consiste este nuevo pacto. Hebreos, especialmente los capítulos del 6 al 13, presta especial atención a este asunto. Ahora en este capítulo llegamos al tema del nuevo pacto y del testamento, o última voluntad.

Hebreos 9:15-17 dice: "Por eso es Mediador de un nuevo pacto, para que interviniendo una muerte para remisión por las transgresiones que había bajo el primer pacto, los llamados reciban la promesa de la herencia eterna. Porque donde hay testamento, es necesario que conste la muerte del testador. Porque el testamento se confirma sólo en caso de muerte; pues no es válido mientras el testador vive". La palabra *Mediador* en el versículo 15 tiene el significado de uno que actúa como garantía para asegurar algo que de otra manera no se podría obtener. En este sentido, por tanto, el "Mediador" también puede ser traducido como "Ejecutor". La palabra *testamento* en los versículos 16 y 17 es la misma que se tradujo "pacto". En estos versículos vemos cuatro cosas importantes: (1) un pacto como también un testamento, (2) el que hizo el testamento, o el testador, (3) el ejecutor del testamento y (4) la eficacia del testamento.

UN PACTO COMO TAMBIÉN UN TESTAMENTO

¿Por qué decimos que el pacto también es el testamento?

¿Es Dios o el Señor Jesús que hizo el pacto con nosotros? Según la Palabra de Dios, es Dios el que ha hecho el pacto con nosotros y no el Señor Jesús. Dios es la parte que hace el pacto, al lado opuesto a nosotros. Pero es el Señor Jesús quien ha cumplido el pacto, puesto que este pacto se hizo con la sangre del Señor. En cuanto a Dios se refiere, Él hizo un pacto con nosotros; pero en cuanto al Señor Jesús se refiere, fue por medio de Su muerte que Él nos legó una herencia eterna (He. 9:15). Por tanto, es un testamento, o última voluntad. Para que un pacto sea vigente no se requiere la muerte del que hace el pacto, pero para que un testamento entre en vigencia se requiere de la muerte del testador. Con esto vemos que Dios fue el que hizo el pacto con nosotros, pero es el Señor Jesús que por medio de Su muerte nos legó el testamento, el legado a nosotros.

Con respecto al contenido, el nuevo pacto es igual que el testamento. También son iguales en lo que concierne a nuestra herencia, excepto que en cuanto a la expresión existen dos lados: el lado de Dios y el lado del Señor. En cuanto a Dios se refiere, Él ha hecho un pacto con nosotros; pero en cuanto al Señor Jesús se refiere, Él nos ha dejado un testamento. Hemos dicho que el nuevo pacto incluye tres componentes principales: el lavamiento, la vida y el poder, y el conocimiento interior. En cuanto al hecho de que Dios hiciera un pacto con nosotros, fue Dios quien prometió perdonarnos de nuestros pecados y limpiarnos; fue Dios quien prometió impartir vida y poder en nosotros; y también fue Dios quien prometió darnos el conocimiento interior, el conocimiento más profundo de Sí mismo. Pero en cuanto al Señor Jesús que nos dejó Su testamento, es Él quien nos ha dejado con el lavamiento que proviene del perdón de los pecados; es Él quien nos ha dejado con vida y poder; y también es Él quien nos ha dejado con el conocimiento de Dios mismo.

EL SEÑOR JESÚS ES EL TESTADOR

Hemos indicado anteriormente que el nuevo pacto se mencionó desde la época de Jeremías. Sin embargo, no se le prestó ninguna atención a este asunto por cientos de años. Luego un día repentinamente volvió a surgir este asunto. Según

1 Corintios 11:23-25, la noche que el Señor fue traicionado Él "tomó pan; y habiendo dado gracias, lo partió, y dijo: Esto es Mi cuerpo que por vosotros es dado; haced esto en memoria de Mí. Asimismo tomó también la copa, después de que hubieron cenado, diciendo: Esta copa es el nuevo pacto establecido en Mi sangre". El nuevo pacto aquí es el mismo nuevo pacto glorioso que se menciona en el libro de Jeremías. Ahora, por medio de la sangre del Señor Jesús, este pacto ha llegado a ser nuestra herencia de modo que podamos disfrutar de todo su contenido. Esto nos muestra que el nuevo pacto es el testamento del Señor, o Su voluntad. Nuestro Señor es el Testador. Él nos ha dado la herencia espiritual en Su testamento. Lo que Él nos ha dado son los elementos incluidos en el nuevo pacto e indicados en Hebreos 8:10-12. Éstas son las cosas que el Señor nos ha legado en Su voluntad. Cuando nosotros heredamos algo por medio de un testamento, recibimos lo que no teníamos originalmente. Por medio del nuevo pacto recibimos algo por lo cual no trabajamos, pero que nos ha sido legado por el Señor Jesús.

EL SEÑOR JESÚS ES EL EJECUTOR DEL TESTAMENTO

Nuestro Señor no sólo es el Testador, sino también el Ejecutor del testamento, o voluntad, porque Él "es Mediador de un nuevo pacto" (He. 9:15). Dijimos antes que, como el Mediador del nuevo pacto, Él también es el Ejecutor. Sabemos que cuando se escribe un testamento es importante que haya testigos, pero aún es más importante que alguien ejecute el testamento. Cuando no hay un ejecutor, el testamento permanece inactivo. Alabamos a Dios que el Señor Jesús no sólo es el que hizo el testamento, sino también es Él quién lo ejecuta. En cuanto a la muerte se refiere, el Señor Jesús es el Testador; pero en cuanto a la resurrección se refiere, Él es el Ejecutor del testamento. El Señor Jesús introdujo la sangre en el Lugar Santísimo (He. 9:12), lo cual indica que el Testador había muerto; después el Señor Jesús llegó a ser el Mediador del nuevo pacto en los cielos, lo cual indica que Él es quién tiene el poder para ejecutar el testamento. ¡Nuestro Señor es realmente digno de alabanza! Tanto más excelente ministerio ha obtenido, cuanto es el Ejecutor de un mejor pacto (He. 8:6).

Se nos dice en Hebreos 12:22-24 que "os habéis acercado al monte de Sión, a la ciudad del Dios vivo, Jerusalén la celestial, y a miríadas de ángeles, a la asamblea universal, a la iglesia de los primogénitos que están inscritos en los cielos, a Dios el Juez de todos, a los espíritus de los justos hechos perfectos, a Jesús el Mediador del nuevo pacto, y a la sangre rociada que habla mejor que la de Abel". Este pasaje nos dice que no nos hemos acercado al monte que se podía palpar (v. 18), sino al monte de Sión, donde se reúnen Dios, los ángeles, los hombres justos resucitados y los primogénitos. Éste es también el lugar donde está el Señor Jesús, quien es el Mediador del nuevo pacto. En los cielos el Señor no sólo es el Sumo Sacerdote, sino también el Mediador, el Ejecutor, del nuevo pacto, para que llegue a ser eficaz en nosotros. El Señor asegurará que la eficacia de este pacto establecido con Su sangre se lleve a cabo en nosotros, lo cual permite que tengamos la vida y el poder para someternos a Dios, para tener un conocimiento más profundo de Dios, y para tener el perdón de pecados sin ninguna acusación en nuestra conciencia. Él es el Mediador de estas cosas. Según la fidelidad y la justicia de Dios, este pacto es inviolable e irrevocable. Según el poder de la resurrección del Señor, este pacto es por siempre eficaz. Debemos decir: "¡Aleluya! ¡El Señor es el que nos ha dejado con tal testamento tan rico! ¡Él es también el que tiene el poder para ejecutar el testamento!".

LA EFICACIA DEL TESTAMENTO

Hebreos 9:16-17 nos dice que "donde hay testamento, es necesario que conste la muerte del testador. Porque el testamento se confirma sólo en caso de muerte; pues no es válido mientras el testador vive". Un día nuestro Señor les dijo a Sus discípulos: "Esta copa es el nuevo pacto en Mi sangre" (Lc. 22:20). Esto significa que el que hizo la voluntad ha muerto y que el pacto ha entrado en vigencia Cuando el Señor Jesús introdujo la sangre en el Lugar Santísimo (He. 9:12), Él le estaba diciendo a Dios que el que hizo el testamento había muerto. Incluso aquellos de nosotros que estamos vivos nos damos cuenta de que la persona que hizo el testamento murió, porque siempre que comemos el pan y bebemos la copa exhibimos la muerte del Señor (1 Co. 11:26). La palabra traducida "exhibimos" también se puede traducir "anunciamos". Siempre que comemos el pan y bebemos la copa, anunciamos que el Señor ha muerto. El Testador ha muerto, y ahora el testamento ha entrado en vigencia.

La responsabilidad del Ejecutor es hacer que el testamento sea vigente. Nosotros tenemos derecho a todos los legados del testamento. Si el Ejecutor es fiel, recibiremos todos los legados incluidos en el testamento; pero si el Ejecutor no es fiel, es posible que no recibamos los legados a los cuales tenemos derecho. Puesto que nuestro Señor es un Ejecutor responsable, recibiremos todos los legados incluidos en el testamento. Como hemos mencionado anteriormente, lo que el Señor nos ha legado en Su testamento incluye tres elementos importantes: (1) el lavamiento que proviene del perdón de pecados, (2) vida y poder, y (3) un conocimiento interno de Dios. Estos tres elementos abarcan todas las necesidades de nuestra vida espiritual. El Señor Jesús ha muerto y resucitado por nosotros. Él no solamente nos dejó un testamento, sino que también es el Ejecutor del testamento. Por tanto, ya no debemos llevar una vida de pobreza, sequedad e impotencia. Debemos recibir por fe todo lo que se incluye en el testamento.

¿Alguna vez ha considerado usted que es suficiente ser bautizado una sola vez en la vida, pero que necesitamos partir el pan con frecuencia en memoria del Señor? Durante el tiempo de los apóstoles, los creyentes partieron el pan en memoria del Señor el primer día de la semana, debido a que la copa es la copa del nuevo pacto (Lc. 22:20; 1 Co. 11:25). Cada día del Señor cuando bebemos la copa, sabemos que nuestra base es un pacto. El Señor dijo: "Esta copa es el nuevo pacto en Mi sangre"; por tanto, cuando la bebemos, lo que vemos no es el jugo de uva o el vino mismo, sino un nuevo pacto que el Señor estableció con Su sangre. El Señor desea que nosotros bebamos todo lo que Él nos ha dado. Cada día del Señor estamos repasando este nuevo pacto de modo que podamos recordar al Señor y recibir todo lo que está incluido en esta copa. El Señor desea que recordemos, cada vez que la bebemos, que Dios está atado por este pacto y que a Él le agrada darnos todo lo que se promete en el pacto. El Señor desea que nos acordemos que podemos disfrutar continuamente de todo lo que está incluido en el nuevo pacto. Siempre que nos acordamos del Señor delante de Dios, esto es lo que Él desea que veamos. Tanto el pan como la copa tienen como objetivo que nos acordemos del Señor. El Señor nos trata según los términos incluidos en el pacto. Por tanto, cuando recordamos al Señor, estamos recordándolo a Él en el pacto.

Si el testamento tiene eficacia o no, no depende de nuestros esfuerzos; pero sí tiene mucho que ver con el hecho de si conocemos o no cuáles son las riquezas incluidas en el testamento y si podemos creer o no en la eficacia del testamento y en el hecho de que el Señor Jesús es el Ejecutor del testamento. Ahora daremos algunos ejemplos.

El perdón de pecados

Tomemos por ejemplo, el perdón de pecados. Algunos pueden pensar: "Yo he pecado; debo hacer todo lo posible por hacer el bien hasta que mis pecados puedan ser perdonados. Pero no sé cuánto tiempo tome antes de que mis pecados puedan ser perdonados". Otros pueden pensar: "Yo he pecado; debo orar una y otra vez hasta que un día pueda sentir paz. Entonces mis pecados serán perdonados". Pero en ambos casos debemos darnos cuenta de que eso es algo que ellos están intentando hacer por sí mismos; esto no es algo que el Señor nos ha legado en Su testamento.

Debemos comprender que nuestros pecados son limpiados y perdonados, pero no al acumular buenas obras, porque hacer el bien es simplemente nuestro deber; tampoco depende de nuestras oraciones hasta que Dios se olvide de nuestros pecados, porque nuestros pecados nunca pueden ser borrados con nuestra oraciones; ni tampoco se soluciona todo el asunto si oramos hasta que nos olvidemos de nuestros pecados. Debemos comprender que el lavamiento y el perdón de nuestros pecados no se lleva a cabo de ninguna otra manera, sino por la sangre, porque "sin derramamiento de sangre no hay perdón" de pecados (He. 9:22). Es la sangre del Señor Jesús la que ha solucionado el problema de nuestros pecados, y es la sangre del Señor Jesús que nos limpia de todos nuestros pecados (1 Jn. 1:7). "Si confesamos nuestros pecados, Él es fiel y justo para perdonarnos nuestros pecados, y limpiarnos de toda injusticia" (v. 9). Éste es el testamento y éste es el nuevo pacto. ¿Podemos creer esto?

Ser liberados del pecado

En cuanto al asunto de ser liberados del pecado, Romanos 6:14 dice: "El pecado no se enseñoreará de vosotros; pues no estáis bajo la ley, sino bajo la gracia". Algunas personas dicen: "Aunque las Escrituras dicen eso, aun así me siento tan débil como el agua. Cuando le hago frente a alguna tentación, siempre fracaso". Personas como éstas continuamente intentan hacer algo por ellas mismas y siempre están luchando. Este no es un legado que ellos encuentran en el testamento; éste no es el nuevo pacto. Si viesen lo que es el nuevo pacto, dirían: "¡Alabado sea Dios, el poder no procede de mí; el poder es un legado que el Señor me da a mí!". Éste es el testamento y éste es el nuevo pacto. ¿Podemos creer esto?

Conocer y hacer la voluntad de Dios

Algunos pueden decir: "¿Cómo puedo conocer la voluntad de Dios, y cómo puedo hacer la voluntad de Dios?". La respuesta es que tanto la capacidad de conocer la voluntad de Dios como el poder de hacer la voluntad de Dios son legados incluidos en el testamento del Señor Jesús. Todos los que pertenecen al Señor deben obedecer la voluntad de Dios. Todos los que pertenecen al Señor no sólo tienen la capacidad de conocer la voluntad de Dios, sino que también tienen la capacidad de hacer la voluntad de Dios, porque el Señor nos ha legado en Su testamento la capacidad de conocer a Dios y también nos ha legado el poder para hacer la voluntad de Dios (He. 13:20-21). Éste es el testamento y éste es el nuevo pacto. ¿Podemos creerlo?

La herencia eterna que el Señor nos ha legado es espiritual y no se puede agotar en toda nuestra vida. Pero hoy en día, ¿cuántos de los que pertenecen al Señor pueden decir que han sido purificados y que ya no tienen ninguna conciencia de pecado? (10:2). ¿Cuántos pueden decir que la ley del Señor ha sido puesta en su mente y ha sido escrita en su corazón, y que por la vida y el poder interiores ellos pueden hacer la voluntad de Dios y agradarle? ¿Cuántos pueden decir hoy que, debido a la unción del Señor en nosotros, no necesitamos en nada la enseñanza del hombre para conocer a Dios? Hermanos y hermanas, todos debemos darnos cuenta de que el Señor, por medio de Su sangre, estableció el nuevo pacto y legó el rico testamento, el legado, a nosotros. Él también es el Ejecutor de este testamento. Por tanto, si podemos recibirlo por fe, llegaremos a ser ricos y libres.

"Oh Señor, haz que cada uno de nosotros veamos en qué consiste el testamento, el nuevo pacto, a fin de que Tú estés completamente satisfecho cuando veas la eficacia del pacto hecho con Tu sangre".

CAPÍTULO SEIS

LAS CARACTERÍSTICAS DEL CONTENIDO DEL NUEVO PACTO

I. LAVAMIENTO

Ahora consideraremos específicamente las características del contenido del nuevo pacto. Hemos visto en los capítulos anteriores que según Hebreos 8:10-12 el contenido del nuevo pacto comprende tres partes principales. Dios, según Su propósito eterno, primero imparte Su vida y poder en nosotros. Después Él llega a ser nuestro Dios en la ley de vida para que nosotros seamos Su pueblo en la ley de vida, y para que tengamos un conocimiento más profundo de Él y podamos expresarle en nuestro vivir. Puesto que el perdón de pecados es sólo un procedimiento por medio del cual se logra Su propósito, la Escritura pone el perdón de pecados al final. Sin embargo, según nuestra experiencia espiritual, primero obtenemos el lavamiento, es decir, el lavamiento que proviene del perdón; después llegamos a ser el pueblo de Dios en la ley de vida, y luego obtenemos un conocimiento más profundo de Dios interiormente.

Ahora veamos el asunto del perdón de pecados. Hebreos 8:10 y 11 componen un pensamiento continuo, mientras que el versículo 12 constituye un nuevo comienzo. Observe la palabra *porque* en el versículo 12, el cual dice: "Porque seré propicio a sus injusticias, y nunca más me acordaré de sus pecados". La palabra *porque* nos muestra que Dios es propicio a nuestras injusticias y que no se acuerda más de nuestros pecados es algo que ocurre antes de que recibimos la vida. Es decir, lo que se menciona en el versículo 12 ocurre antes de lo que se menciona en los versículos 10 y 11. Por esta razón, el primer asunto que debemos considerar es cómo son perdonados y lavados nuestros pecados según el pacto.

Los dos aspectos del pecado

Según las Escrituras, el pecado tiene dos aspectos: la naturaleza del pecado y el acto del pecado. La naturaleza del pecado es el pecado que mora en el hombre, dominándole y gobernándole e incitándole a cometer pecados (Ro. 6:17; 7:20-21). Los hechos pecaminosos son los pecados que se manifiestan exteriormente en nuestra vida diaria. Con respecto a cada uno de nuestros hechos pecaminosos, sea pequeño o grande, oculto o deliberado, hay una acusación en contra de nosotros delante de Dios. Dios también los ha juzgado (1:32; 6:23). Esto hace que nuestra conciencia se sienta molesta cuando pensamos en ellos. Siempre que el pecado nos domina y luchamos sin ser liberados, nos sentimos miserables por dentro (7:23-24). Por tanto, los hechos pecaminosos necesitan ser perdonados y lavados, pero nosotros también necesitamos ser rescatados y librados de nuestra naturaleza pecaminosa (6:7, 22). Alabado sea Dios, la sangre del Señor Jesús se encarga de las acusaciones de pecado en contra de nosotros delante de Dios y purifica nuestra conciencia (Mt. 26:28; Ap. 1:5; He. 9:14); y la cruz del Señor Jesús se encarga de nuestro viejo hombre, rescatándonos del poder del pecado y librándonos del pecado mismo (Ro. 6:6, 18). Por esta razón, cuando Romanos 1:1 al 5:11 habla de nuestros pecados delante de Dios, se menciona la sangre. Cuando Romanos 5:12 al capítulo 8 habla del pecado que está en nosotros, el mismo pasaje menciona el hecho de que nuestro viejo hombre ha sido crucificado juntamente con Cristo para que el cuerpo del pecado sea anulado a fin de que no sirvamos más al pecado como esclavos. Ahora consideremos el hecho de que nuestros pecados necesitan ser perdonados y cómo son perdonados y lavados.

Los pecados necesitan ser perdonados

Sin excepción alguna, toda persona que realmente ha sido avivada será consciente de sus propios pecados. Por ejemplo, cuando el hijo pródigo en Lucas 15 volvió en sí, él sintió que había pecado contra el cielo y contra su padre. Una persona que realmente es alumbrada por el Espíritu Santo no puede dejar de condenarse acerca de pecado (Jn. 16:8). Es en este momento que necesita del perdón de Dios. Tan pronto como él vea su pecado considerará las acusaciones de pecado que están en contra de él delante de Dios; él considerará el castigo que merece su pecado; considerará los dolores incesantes del infierno; y también tendrá la esperanza de tener alguna manera de ser salvo. Tal vez en ese momento se predica el evangelio que dice cómo el Señor Jesús fue crucificado en la cruz y cómo derramó Su sangre preciosa para perdón de pecados (Mt. 26:28) a fin de que el hombre pueda ser lavado de sus pecados (Ap. 1:5). Cuando una persona oye este evangelio y cree, sus pecados son perdonados (Hch. 10:43; 26:18) y su conciencia es purificada (He. 9:14).

Lucas 7:36-50 nos muestra que es posible que el perdón de Dios no tenga mucho significado para un Simón que es justo en su propia opinión, pero que para una pecadora que es considerada "qué clase de mujer" (v. 39), es algo muy necesario. Todo lo que esta mujer pecaminosa había recibido durante su vida fue burla y desprecio. Esto sólo hizo que se apiadara de sí misma y que se sintiera avergonzada de sí misma. Pero en este día particular había Uno delante de ella, cuyo nombre era Jesús, que parecía tan santo y que sin embargo, era tan accesible, que incluso permitió que ella estuviera detrás de Él a Sus pies, llorando. Sus lágrimas indicaban varias cosas: (1) su sufrimiento debido al pecado, (2) la historia oculta en su corazón, (3) su impotencia y (4) ¡su esperanza de encontrar un Salvador! Sin embargo, sus lágrimas no le causaron compasión a Simón; sólo hicieron que se llenara de consideraciones (v. 39). El hecho de llorar por causa del pecado no era algo que podía entender una persona que se consideraba justa como Simón. ¡Pero Jesús entendió! Primero corrigió a Simón; después habló a favor de esta mujer que lloraba diciendo que sus muchos pecados le eran perdonados (v. 47). Luego le habló directamente a la mujer y le dijo: "Tus pecados te son perdonados [...] Tu fe te ha salvado, ve en paz" (vs. 48, 50). ¡Este perdón fue para ella un gran evangelio! Permitió que ya no sintiera lástima de sí misma, sino que más bien estuviera llena de paz. De allí en adelante, este perdón llegaría a ser el evangelio para muchos grandes pecadores.

Marcos 2:1-12 nos muestra que para esos escribas que se consideraban justos, el perdón de Dios era tan solo una doctrina vacía. Sólo hizo que criticaran y juzgaran al Hijo de Dios en cuanto a Su autoridad para perdonar pecados (vs. 6-7). Pero, para el enfermo y paralítico, que era llevado por cuatro hombres, fue algo muy beneficioso. ¡Cuántas veces el pecado nos causa no sólo tormento en nuestro corazón, sino también arruina nuestros cuerpos! Sabemos que muchas enfermedades son el resultado de causas naturales, contagios o agotamiento. Pero las Escrituras también indican que algunas enfermedades son el resultado de haber cometido pecado (Mr. 2:5; Jn. 5:14). Cuando una enfermedad es el resultado de cometer pecado, sea aparente u oculto, el que cometió el pecado lo sabe. Cuando una persona comete un pecado que resulta en cierta enfermedad incurable, sólo puede lamentarse; no hay nada más que hacer. El Señor sabía que la causa de la enfermedad de este paralítico era el pecado. Por esta razón, primero le dijo al hombre enfermo: "Hijo, tus pecados te son perdonados" (Mr. 2:5). Luego le dijo: "A ti te digo: ¡Levántate, toma tu camilla, y vete a tu casa!" (v. 11). Los pecados le fueron perdonados y la enfermedad fue sanada. ¡Qué gran evangelio es éste! De ese momento en adelante, ese perdón llegó a ser un gran evangelio para muchos que estaban enfermos por causa del pecado.

La seguridad que produce el perdón

Según la experiencia de aquellos que sirven al Señor, cuanto más uno ve sus pecados en la luz, más lamenta sus pecados y más siente la gracia del perdón. Con algunos, ya que han pecado tanto y tan penosamente, siempre tienen el temor de que Dios no los perdone. Algunos que frecuentemente se han preocupado por sus pecados en el pasado y han sufrido mucho por ellos han desarrollado una conciencia débil. Aunque sus pecados han sido perdonados, siempre que piensan en ellos aún sienten miedo, y temen que no han sido perdonados. Incluso pueden sentir que es demasiado "barato" que Dios les haya perdonado. Aquellos que están en tal condición y tienen tal actitud necesitan darse cuenta de que la seguridad que produce el perdón tiene un fundamento firme. Tales personas deben considerar los siguientes dos puntos:

1. El perdón se basa en la justicia de Dios

Nuestro Dios no sólo es un Dios santo (1 P. 1:16), sino un Dios que ama la justicia y aborrece la iniquidad (He. 1:9). Su naturaleza santa no le permite tolerar el pecado, y Su actitud justa hace que juzgue al pecado. Su Palabra dice: "Porque la paga del pecado es muerte" (Ro. 6:23). Su Palabra también dice que "sin derramamiento de sangre no hay perdón" (He. 9:22). Siempre que cometamos pecado, Dios tiene que condenarnos por nuestro pecado. Según la naturaleza de Dios, Él es santo; por tanto, Él no puede tolerar el pecado. Según la manera en la que Dios hace las cosas, Él es justo; por tanto, Él tiene que castigar el pecado. En Sí mismo, Dios también es glorioso; por esta razón, los pecadores no pueden acercarse a Él. Los que se acercan ciertamente morirán. Dios trata con el hombre según los principios de Su santidad, de Su justicia y de Su gloria. Por tanto, nuestros pecados no son perdonados sin que pasen por el juicio de Dios. Él no simplemente pasa por alto las acusaciones de pecado en contra de nosotros. Él perdona nuestros pecados y nunca más se acuerda de ellos, porque el Señor Jesús ha derramado Su sangre (Mt. 26:28; Ef. 1:7).

La gracia nunca reina por sí misma; la gracia reina por medio de la justicia (Ro. 5:21). La gracia nunca llega a nosotros directamente, sino que llega a nosotros por medio de la cruz. No se trata de que Dios nos vea arrepentirnos, lamentar y llorar por nuestros pecados, y debido a esto Él tenga compasión de nosotros y nos perdone. No, Dios nunca hace esto. Primero Dios juzga nuestros pecados, después Él nos perdona (Is. 53:5, 10, 12). Un dicho común dice: "La gracia y la justicia nunca vienen tomados de la mano". Sin embargo, aquellos que aprenden por la gracia se dan cuenta de que la manera en la que Dios perdona nuestros pecados es perfecta tanto en gracia como en justicia.

No sólo Dios es de esta manera, aun a veces los redimidos Suyos expresan una pequeña sombra de la perfección tanto en la gracia como en la justicia. Una joven estudiante de la secundaria cuenta la siguiente historia. Su director pertenecía al Señor. Un día alguien rompió un mueble en la escuela y el director (una mujer) hizo una investigación, pero nadie admitió romperlo. Ella intentó explicarles a los estudiantes que no era correcto romper cosas públicas en la escuela, y que era incluso peor haberlo roto y carecer del valor para admitirlo. Mientras que ella decía esto, también lloraba. Entonces un estudiante se presentó para confesar. Pero este estudiante era demasiado pobre para pagar los daños. El director entonces tomó el dinero de su propio bolsillo, pagó el daño que el estudiante había causado y también le perdonó su pecado. Dicha actitud y conducta tan llena de gracia y justicia de parte del director, no sólo hizo que el estudiante conociera el pecado, sino también permitió que conociera tanto la gracia como la justicia. Esto es sólo una pequeña sombra de la perfección de la gracia y la justicia que se manifiesta por medio del pueblo redimido de Dios.

El día que el Señor de santidad llevó los pecados de todos nosotros, Él clamó a gran voz diciendo: "Dios Mío, Dios Mío, ¿por qué me has desamparado?" (Mt. 27:46). Esto era aún más doloroso que la corona de espinas sobre Su cabeza y las heridas de los azotes en Su cuerpo. Isaías 53:5 dice: "Él fue herido por nuestras transgresiones, molido por nuestras iniquidades [heb.]". ¿Quién dice que el perdón es algo barato? Los que han aprendido de la gracia cantan con lágrimas y agradecimiento:

> La profundidad de todo Tu sufrimiento
> Ningún corazón puede concebir.
> La copa rebosando de ira
> Por nosotros Tú recibiste;
> Y, oh, de Dios desamparado
> En el árbol maldito;
> Con corazones agradecidos, Señor Jesús,
> Ahora te recordamos.
>
> (Hymns, #213)

2. El perdón es la característica del nuevo pacto

Consideremos otra vez Hebreos 8:12: "Seré propicio a sus injusticias, y nunca más me acordaré de sus pecados". Ésta es una de las bendiciones que nos es dada en el nuevo pacto. Se refiere a que Dios nos perdona en Cristo nuestros pecados. Dios puede ser propicio a nuestras injusticias porque Cristo ha derramado Su sangre por nosotros. No sólo es propicio a nuestras injusticias, sino que, de ninguna manera se acordará nunca más de nuestros pecados. Que Dios no se acuerde de nuestros pecados significa que se olvida de ellos. El hecho de que Dios se olvide de nuestros pecados no significa que oculte Su rostro o que a propósito haga caso omiso de ellos, sino que la sangre de Cristo ha borrado las acusaciones del pecado en contra de nosotros y nos ha lavado de nuestros pecados (Is. 44:22; He. 1:3; Ap.1:5). Hoy en día Dios se limita al pacto; Él está dispuesto a ser limitado por el pacto. Cuando Él dijo: "Seré propicio a sus injusticias", Él lo hará; y cuando dijo: "Nunca más me acordaré de sus pecados", no se acordará. Éste es el nuevo pacto, y éste es el evangelio.

¡Que lamentable es que nosotros olvidamos lo que Dios recuerda, y de lo que Dios no se acuerda nosotros lo mantenemos presente! Algunos siguen pensando: "He cometido tantos pecados graves, ¿Dios verdaderamente los ha perdonado todos? ¿Realmente Dios se ha olvidado de ellos?". Otros piensan: "Dios ha borrado mis pecados, pero el rastro de la mancha aún está allí. Cuando Dios lo vea, Él se acordará otra vez de la clase de pecador que soy". Los que tienen tales pensamientos no saben en qué consiste el nuevo pacto. Por tanto, no saben cómo disfrutar de los derechos del nuevo pacto.

No debemos olvidarnos que el perdón de nuestros pecados y que Dios nunca más se acuerde de ellos es el cumplimiento del primer punto del nuevo pacto. Dios hizo un pacto y dijo: "Seré propicio a sus injusticias, y nunca más me acordaré de sus pecados" (He. 8:12). Si Dios no perdonara nuestros pecados, podríamos hablarle de esta manera: "Oh, Dios, Tú has hecho un pacto con nosotros. Tú debes perdonar nuestros pecados. Debes actuar según Tu pacto". Dios ha hecho un pacto, y Él debe actuar según el pacto. Él no puede perdonar ni negarse a perdonar según como se sienta, porque Él nos ha dado una promesa, a saber, un pacto.

Hebreos 10:1-2 nos dice que "la ley, teniendo la sombra de los bienes venideros, no la imagen misma de las cosas, nunca puede, por los mismos sacrificios que se ofrecen continuamente año tras año, perfeccionar a los que se acercan. De otra manera, ¿no habrían cesado de ofrecerse, por no tener ya los adoradores, una vez purificados, conciencia de pecado?". Esto significa que disfrutar de una conciencia limpia y ya no sentir más el pecado, no es algo que se puede experimentar por los que ofrecen la sangre de toros y ovejas. Sólo la sangre del Señor Jesús puede permitir que el hombre tenga tal experiencia. Cuando Dios ve la sangre del Señor Jesús, Él perdona nuestros pecados y nunca más se acuerda de ellos. Ésta es una característica del nuevo pacto. La Palabra de Dios no puede ser más clara. Si usted es una persona cuya conciencia no tiene reposo, que siente que su conciencia aún le acusa por pecados cometidos en el pasado, le aconsejamos cantar el siguiente himno hasta que pueda decir "amén" de corazón. Entonces comenzará a disfrutar de la bendición del perdón de pecados en el nuevo pacto.

> ¿Por qué ansiedad, duda y temor?
> Todo pecado, ¿no cargó
> Sobre Su Hijo, Dios?
> Cristo en la cruz murió por mí.
> ¿Pudiera Dios luego exigir
> Otro pago de mí?

> Completa redención logró
> Mis deudas el Señor pagó,
> De la ley libre soy.
> No temo más la ira de Dios,
> Pues con Su sangre me roció,
> Cubierto ahora estoy.

> Él mi perdón aseguró,
> Obtuvo plena absolución
> Mis deudas las pagó.
> Dios no reclamará de dos,
> De Su Hijo, mi Seguridad,
> Y otra vez de mí.

Descanso y paz hoy míos son,
Mi Salvador me liberó,
Él todo consumó;
Sé que por Su sangre eficaz,
Dios ya no me condenará,
Pues, ¡Él por mí murió!

(*Himnos, #466*)

La confesión de los pecados y el perdón

Cuando un pecador sabe que es un pecador y cree en el Señor Jesús, sus pecados son perdonados; de esto no cabe duda. La pregunta es: después de que una persona haya creído en el Señor y haya recibido el perdón, ¿necesita ser perdonado aún más? A fin de responder esta pregunta debemos primero considerar tres hechos: (1) Después de que una persona es salva, ya *no debe* continuar viviendo en pecado (Ro. 6:1-2), y *no debe* pecar otra vez (Jn. 5:14; 8:11). (2) Aún existe la posibilidad de que un creyente cometa pecado (1 Jn. 1:8, 10), y es posible que un cristiano sea enredado en alguna falta y sea tentado y caiga (Gá. 6:1; 1 Co. 10:12). Vemos ejemplos de la hipocresía que mostró Pedro en Antioquía, a Bernabé que fingía con un grupo, y el hermano en Corinto que cometió fornicación (Gá. 2:11-13; 1 Co. 5:1-2, 5, 11). En el caso del hermano que cometió fornicación, la consecuencia fue muy seria; por una parte su cuerpo fue corrompido, y por otra fue excomulgado por la iglesia. (3) En 1 Juan 3:9 dice: "Todo aquel que es nacido de Dios, no practica el pecado, porque la simiente de Dios permanece en él; y no puede pecar, porque es nacido de Dios". Esto se refiere *al hábito* y *a la naturaleza* de una persona regenerada.

Si estamos claros acerca de estos tres puntos, admitiremos que cuanta más comunión tengamos con Dios y cuanto más andemos en la luz de Dios, más necesitamos del perdón y del lavamiento. Dios es luz; así que tener comunión con Dios significa estar en la luz. Esto se muestra claramente en 1 Juan 1:5-7. ¿Cómo entonces podemos obtener el perdón? La respuesta está en 1 Juan 1:9, que dice: "Si confesamos nuestros pecados, Él es fiel y justo para perdonarnos nuestros pecados, y limpiarnos de toda injusticia". Se ve claramente en este versículo que si un creyente comete pecado, él necesita *confesarlo* a fin de ser perdonado. Debemos confesar nuestros pecados. Si *confesamos* nuestros pecados, Dios es fiel y justo para perdonarnos nuestros pecados y limpiarnos de toda injusticia.

Puede ser que preguntemos qué cosa es la fidelidad de Dios y qué es la justicia de Dios. La fidelidad de Dios se refiere a las palabras que Él dice, mientras que la justicia de Dios se refiere a la manera en la cual Él hace las cosas. Al hablar Dios es fiel, y al actuar Dios es justo. Puesto que Él ha dicho que perdonará nuestros pecados, Él ciertamente nos perdonará nuestros pecados. Puesto que Él ha dicho que nos limpiará de toda injusticia, Él ciertamente nos limpiará de toda injusticia. Puesto que Él envió a Su Hijo para morir por nuestros pecados, Él no tiene más opción que limpiarnos y perdonarnos de nuestros pecados. Por tanto, si confesamos nuestros pecados, debemos asirnos al pacto que Él ha hecho con nosotros, y esperar que Él nos perdone y nos limpie.

La siguiente es una historia verdadera. En cierta ciudad había una hermana cuya conciencia le acusaba continuamente y no le daba ningún reposo. Siempre que ella veía a un predicador le decía: "¡Mis pecados son tan graves! No sé si Dios me ha perdonado o no". En una ocasión cuando ella dijo eso, el predicador le pidió que leyera 1 Juan 1:9 con él. Entonces él le preguntó: "¿Ha confesado sus pecados delante de Dios?". Ella respondió: "Sí, lo he hecho, y lo hago con frecuencia". "¿Qué es entonces lo que dice la Palabra de Dios?" le preguntó. Y ella contestó: "La Palabra de Dios dice que si confesamos nuestros pecados, Él es fiel y justo para perdonarnos nuestros pecados y limpiarnos de toda injusticia". "Entonces", le preguntó el predicador, "¿qué dice usted?". Ella respondió: "No sé si Dios me ha perdonado o no". De esta misma manera leyeron e hicieron preguntas, leyeron e hicieron preguntas, y después oraron. Ella confesó otra vez sus pecados ante Dios. Después de la oración él le preguntó otra vez: "¿Dios ha perdonado sus pecados?". Ella respondió otra vez: "No lo sé". Entonces ese predicador le dijo muy seriamente: "¿Usted considera que Dios es un mentiroso?". Ella respondió: "¿Cómo me atrevería?". El predicador le respondió: "Entonces si confesamos nuestros pecados, ¿qué es lo que Dios dice que hará? Dios dice que Él es fiel y justo para perdonarnos nuestros pecados, y limpiarnos de toda injusticia". En ese momento ella entendió, y tuvo paz en su conciencia. Desde ese momento hasta que llegó el día en que durmió en el Señor ella se mantuvo alegre. La Palabra del Señor realmente la alumbró y la consoló.

Por tanto, debemos recordar que el perdón de pecados es algo que está en el pacto. Si confesamos según la Palabra de Dios, Dios nos perdonará según Su pacto. Hermanos y hermanas, ¿nos atrevemos pedirle a Dios, aferrados a Su Palabra: "Oh, Dios, Tu palabra dice que si confesamos nuestros pecados, Tú nos perdonarás nuestros pecados y nos limpiarás de toda injusticia"? Debemos darnos cuenta de que Dios ha hecho un pacto con nosotros a fin de que nosotros podamos hablarle según Su pacto. Él quiere que por fe le pidamos que cumpla lo que está en el pacto. No sólo le estamos pidiendo a Dios que nos de misericordia; estamos reclamando nuestra porción según el pacto. Alabado sea Dios, incluso el perdón de pecados es una parte del nuevo pacto.

Algunos sin duda consideran que si realmente odian al pecado, les será más fácil ser perdonados. Otros sienten que si continúan lamentándose y teniendo un corazón contrito, les será más fácil ser perdonados. Esta clase de suposición es completamente incorrecta. Esto no es lo que dice la Palabra de Dios. Tener un corazón contrito y sentimientos de pesar son un resultado natural, una actitud normal, como resultado de ser alumbrados; no es una condición que nosotros intercambiamos para recibir el perdón. En el libro *The Christian's Secret of a Happy Life* [El secreto que tiene el cristiano para llevar una vida alegre], leímos acerca de una pequeña niña a la que se le preguntó: "¿Si tú cometes pecados, cómo te trataría el Señor Jesús y qué harías?". Ella dijo: "Yo confesaría mis pecados al Señor; el Señor Jesús me haría sentir pesar por un tiempo, y luego Él me perdonaría". No considere que éstas son sólo las palabras de una niña pequeña; ésta también es la historia de muchos adultos. Muchos adultos se sienten de la misma manera. Ellos piensan que después de que confiesan sus pecados, necesitan sentir pesar por un tiempo; necesitan esperar hasta que su corazón ya no sienta ningún dolor, entonces ellos recibirán la confirmación del perdón. Los que piensan de esta manera no saben lo qué es el nuevo pacto.

Debemos darnos cuenta de que el perdón de pecados es algo incluido en el nuevo pacto y que, debido a que el Señor Jesús derramó Su sangre, Dios debe perdonarnos nuestros pecados y limpiarnos de toda injusticia. En el momento que aceptamos al Señor, Dios nos perdona según lo que Él ha dicho en el pacto; el momento en que confesamos nuestros pecados, en ese mismo momento Dios nos perdona según lo que se indica en el pacto. Dios está atado por el pacto que Él ha hecho con nosotros. Sólo necesitamos pedir que Dios actúe según lo que se indica en el pacto, y Él está obligado a hacerlo.

Debemos recordarle al lector que la confesión que se menciona aquí es algo que hacemos después de ver el pecado en la luz de Dios. La luz de Dios no tolera el pecado. Cuando una persona realmente ve el pecado en la luz de Dios, condena al pecado como pecado y se acerca a Dios a fin de confesar su pecado; Dios le perdonará el pecado a esa persona y la limpiará de su injusticia. Algunas personas se refugian bajo la confesión del pecado: día tras día continúan diciendo mentiras bajo la sangre preciosa, y día tras día continúan enfadándose bajo la sangre preciosa; esto definitivamente está mal. Para ellas, la confesión es una fórmula y un método. Por una parte, ellos cometen pecados y, por otra, confiesan como una formalidad. Ésta no es una confesión hecha en la luz de Dios. Tal confesión es sólo una confesión hecha con palabras. Nunca debemos practicar esto. Lo que estamos diciendo aquí es que cuanta más comunión tenemos con Dios, más andamos en la luz de la vida, más fácil es ver nuestros pecados; entonces nos damos cuenta de cuánto necesitamos el perdón de Dios y el lavamiento de la sangre preciosa. Ésta es la clase de confesión que cuenta. Es con esta confesión que disfrutamos del reposo que resulta del perdón de los pecados mencionado en el nuevo pacto.

Apocalipsis 4:3 dice que hay un arco iris alrededor del trono. El arco iris es la señal del pacto que Dios hizo con Noé. Significa que Dios nunca se ha olvidado de ese pacto. También significa que Dios debe escuchar la oración del hombre si él ora según el pacto. Mientras que el arco iris esté alrededor del trono, Dios debe escuchar la oración que esté de acuerdo al pacto. Dios se ha dado de esta manera a Sí mismo como promesa a nosotros, a fin de que podamos orar a Él según el pacto. ¡Qué gracia tan maravillosa es ésta!

¿Quién hoy en día, aún no ha solucionado el problema de los pecados? Usted puede traer sus pecados ante Dios, asiéndose de la Palabra de Dios y creyéndole a Él según Su pacto. Entonces puede reposar en Su pacto. La razón por la que hemos perdido tantas bendiciones espirituales es que no nos hemos dado cuenta de que Dios ha hecho un pacto con nosotros. Dios ha hecho un pacto con nosotros a fin de que podamos hablarle según el pacto. Entonces Él actuará según el pacto.

Capítulo siete

LAS CARACTERÍSTICAS
DEL CONTENIDO DEL NUEVO PACTO

II. VIDA Y PODER

Hemos visto previamente que en el nuevo pacto el perdón de pecados es el evangelio de la gracia. Si alguien cree en esta gracia a fin de obtener el perdón de sus pecados, su conciencia tendrá reposo. Sabemos que muchos de los que pertenecen al Señor han recibido esta gracia a fin de obtener el perdón de sus pecados. Ellos no solamente han creído en este aspecto del nuevo pacto, sino que también están dispuestos a testificar que Dios les ha perdonado sus pecados y les ha limpiado de todas sus injusticias.

Sin embargo, además de este asunto del perdón de pecados, en el nuevo pacto también hay otros dos asuntos que son extremadamente gloriosos y preciosos: uno es un asunto de vida y poder, y el otro es el asunto del conocimiento interior, o de conocer a Dios internamente. Muchos son los que han pasado por alto estos dos aspectos; no son muchos los que entienden ni creen en ellos. Ésta es la razón por la cual muchos de los hijos de Dios están, espiritualmente hablando, en una profunda pobreza. Ésta también es la razón por la que muchos de ellos son débiles y sufren tantos fracasos. Hermanos y hermanas, es bueno que Dios nos haya perdonado nuestros pecados, pero si después de que son perdonados nuestros pecados todavía seguimos siendo iguales, Dios seguirá sin poder obtener en nosotros lo que Él desea, y nosotros seguiremos sin poder hacer Su voluntad. En ese caso, ¿cuál es la diferencia entre nosotros y los hijos de Israel que vagaron en el desierto? Si no existe diferencia; entonces, ¿dónde está la gloria del nuevo pacto? Por lo tanto, hermanos y hermanas debemos ver este mejor aspecto del nuevo pacto.

Según Hebreos 8:9, en conformidad con el viejo pacto Dios tomó a los hijos de Israel de Su mano y los guió a salir de Egipto, pero en el nuevo pacto Dios atrae nuestros corazones para salir de Egipto. En el viejo pacto Dios les dio la ley a los hijos de Israel solo exteriormente, pero en el nuevo pacto Dios ha puesto Sus leyes dentro de nosotros y las ha escrito sobre nuestros corazones. Bajo el viejo pacto, había unos que enseñaban a los hijos de Israel, y ellos observaron las obras de Dios por cuarenta años; aun así, en sus corazones siempre anduvieron extraviados, porque no conocían los caminos de Dios (He. 3:9-10). No obstante, en el nuevo pacto no es necesario que el hombre nos enseñe, porque todos podemos conocer a Dios de una manera interior, desde el menor hasta el mayor. Ahora veamos cómo es que Dios ha puesto Sus leyes en nosotros y cómo las ha escrito sobre nuestros corazones, y por qué esto es una parte sumamente gloriosa y preciosa del nuevo pacto.

Antes de comenzar, debemos leer algunos versículos en este respecto. El primer versículo es Hebreos 8:10: "Por lo cual, éste es el pacto que haré con la casa de Israel después de aquellos días, dice el Señor: Pondré Mis leyes en la mente de ellos, y sobre su corazón las escribiré; y seré a ellos por Dios, y ellos me serán a Mí por pueblo". Otro es Hebreos 10:16: "Éste es el pacto que haré con ellos después de aquellos días, dice el Señor: Pondré Mis leyes en sus corazones, y en sus mentes las escribiré". Ambos versículos hablan primeramente de impartir o de escribir, con la diferencia que en Hebreos 8:10 la mente se menciona primero y después el corazón, mientras que en 10:16 el corazón se menciona primero y después la mente. Sea que la mente o el corazón se mencione primero, ambos pasajes hablan de impartir o de escribir, y ambos mencionan tanto la mente como el corazón; así que, ambos hablan de lo mismo. Debemos también darnos cuenta de que ambos pasajes son citas de Jeremías 31:33, que dice: "Éste es el pacto que haré con la casa de Israel después de aquellos días, dice Jehová: Pondré Mi ley en su mente y la escribiré en su corazón; Yo seré su Dios y ellos serán Mi pueblo".

Ezequiel 36:25-28 habla de lo mismo que nos dice Jeremías 31:31-34, excepto que algunas palabras son más claras en Ezequiel, y otras son más claras en Jeremías. El pasaje en Ezequiel dice: "Esparciré sobre vosotros agua limpia y seréis purificados de todas vuestras impurezas, y de todos vuestros ídolos os limpiaré. Os daré un corazón nuevo y pondré un espíritu nuevo dentro de vosotros. Quitaré de vosotros el corazón de piedra y os daré un corazón de carne. Pondré dentro de vosotros Mi Espíritu, y haré que andéis en Mis estatutos y que guardéis Mis preceptos y los pongáis por obra. Habitaréis en la tierra que di a vuestros padres, y vosotros seréis Mi pueblo y Yo seré vuestro Dios".

Estos versículos hacen referencia a por lo menos cinco cosas: (1) limpiar con agua limpia, (2) dar un corazón nuevo, (3) dar un espíritu nuevo, (4) quitar el corazón de piedra y dar un corazón de carne y (5) tener Su Espíritu dentro de nosotros. Si relacionamos estos cinco asuntos, el resultado será que, "haré que andéis en Mis estatutos, y que guardéis Mis preceptos, y los pongáis por obra [...] y vosotros seréis Mi pueblo, y Yo seré vuestro Dios". Debemos tomar en consideración la palabra *haré* del versículo 27; en hebreo significa motivar. El Espíritu Santo que mora en nosotros nos da nuevas fuerzas para hacer la voluntad de Dios y agradar a Dios, de modo que Dios pueda ser nuestro Dios y nosotros podamos ser Su pueblo.

LA REGENERACIÓN

Cuando hablemos de cómo es que Dios ha puesto Su ley dentro de nosotros y la ha escrito sobre nuestros corazones, debemos comenzar por la regeneración, porque la regeneración significa que el Espíritu Santo ha puesto la vida increada de Dios en el espíritu del hombre. La regeneración es algo nuevo que toma lugar en el espíritu del hombre; por tanto, la regeneración no es un asunto de comportamiento sino de vida.

La creación del hombre

Antes de poder hablar adecuadamente sobre la regeneración, debemos decir algo sobre la creación del hombre. En Génesis 2:7 dice que "Jehová Dios formó al hombre del polvo de la tierra y sopló en su nariz aliento de vida, y llegó a ser el hombre alma viviente". El aliento de vida mencionado aquí es el espíritu, la fuente de la vida del hombre. El Señor dijo: "El Espíritu es el que da vida" (Jn. 6:63a). Job también dijo: "El soplo del Omnipotente me dio vida" (33:4). En hebreo la palabra que en este versículo se tradujo "vida" está en plural. Cuando Dios se sopló en el hombre, Él produjo dos vidas, una espiritual y otra anímica. El aliento de vida, que Dios sopló en el cuerpo del hombre, llegó a ser el espíritu humano; al mismo tiempo, cuando este espíritu entró en contacto con el cuerpo, se produjo el alma. Esta es la manera en que la vida espiritual y la vida anímica se originaron en el hombre. Vemos claramente, entonces, que el hombre se compone de tres partes: espíritu, alma y cuerpo.

El Nuevo Testamento también muestra que el hombre es tripartito. Por ejemplo, en un versículo dice: "Vuestro espíritu y vuestra alma y vuestro cuerpo sean guardados perfectos" (1 Ts. 5:23). Hay otro versículo que dice: "Hasta partir el alma y el espíritu, las coyunturas y los tuétanos" (He. 4:12). Estos versículos muestran que el hombre se compone de tres partes: espíritu, alma y cuerpo.

El cuerpo es el órgano que nos permite estar conscientes del mundo; el alma nos permite estar conscientes de uno mismo; y el espíritu nos permite estar conscientes de Dios. Nuestro cuerpo físico nos permite tener comunicación con el mundo físico por medio de los cinco sentidos; por eso decimos que es el sentir del mundo. El alma, que incluye la mente, la parte emotiva y la voluntad, constituye el yo del hombre, esto es, la personalidad del hombre; por consiguiente, decimos que el alma es el sentir del yo. El espíritu, que incluye las facultades de la conciencia, la intuición y la comunión, sabe cómo adorar a Dios, cómo servir a Dios y cómo relacionarse con Dios. Por tanto, la función del espíritu es tener el sentir de Dios.

Por medio del alma, el espíritu controla todo el ser del hombre. Siempre que el espíritu desea hacer algo, éste transmite su deseo al alma, y el alma hace uso del cuerpo para obedecer el mandato del espíritu. Según el arreglo de Dios, el espíritu humano es la parte más elevada del hombre y debe gobernar todo su ser. Sin embargo, la voluntad es la parte más prominente de la personalidad del hombre y pertenece al alma. La voluntad del hombre también es capaz hacer su propia elección. Puede elegir ser gobernada por el espíritu, por el cuerpo o por el yo. Puesto que el alma tiene tanto poder, y ella ocupa la silla de la personalidad, las Escrituras llaman al hombre "un alma viviente".

El propósito de Dios al crear al hombre

Hemos dicho repetidas veces que Dios tiene un propósito eterno, el cual es impartirse en el hombre. Su deleite es entrar en el hombre y llegar a ser uno con él, a fin de que el hombre pueda tener Su vida y naturaleza. Cuando Él creó al hombre, a Adán, lo puso en el huerto de Edén. En medio de ese huerto estaban el árbol de la vida y el árbol del conocimiento del bien y del mal (Gn. 2:9); ambos árboles eran sumamente llamativos y el hombre se vio atraído a ellos. Dios le dijo acerca de los árboles en el huerto: "De todo árbol del huerto podrás comer libremente, pero del árbol del conocimiento del bien y del mal no comerás; porque el día en que comas de él, ciertamente morirás" (vs. 16-17). Por otra parte Él indicó que el fruto del árbol de la vida se podía comer. Si el hombre hubiera comido del fruto del árbol de la vida, él hubiera elegido a Dios, porque el árbol de la vida representa a Dios mismo. ¡Oh, el Dios de la creación tiene un propósito tan maravilloso y bueno hacia el hombre!

En el principio Dios creó al hombre (Gn. 2:7); la vida original del hombre también fue creada por Dios. La vida creada que el hombre tenía en el principio era recta (Ec. 7:29) y buena (Gn. 1:31). Sin embargo, en lo que se refería al propósito eterno de Dios, el hombre aún no había recibido la vida increada de Dios. Por lo tanto, el hombre aún debía elegir a Dios y la vida de Dios. En el griego hay tres palabras diferentes cuya traducción al español es "vida". Una de estas palabras es *bios*, lacual se refiere a la vida en la carne. El Señor Jesús nos habló de la viuda que puso todo su sustento en las arcas (Lc. 21:4); la palabra traducida "sustento" proviene de la palabra *bios*. La segunda palabra griega es *psuje*. La palabra *psuje* denota la vida natural del hombre, la cual es la vida del alma. Ésta es la palabra que se usa en las Escrituras cuando hablan específicamente de la vida del hombre (Mt. 16:26; Lc. 9:24). La tercera palabra que también significa vida es *zoe,* la cual se refiere a la vida más elevada, a la vida espiritual y a la vida increada. Cuando las Escrituras hablan de la vida eterna, como en Juan 3:16, la palabra que se usa es *zoe.*

La caída del hombre

Sin embargo, el hombre Adán no escogió la vida. Él pecó y se convirtió en un ser caído al comer del fruto del árbol del conocimiento del bien y del mal, del cual Dios le había prohibido comer. Antes de ese tiempo el espíritu del hombre podía tener comunión con Dios, pero después de que el hombre cayera, su espíritu era ajeno a la vida de Dios (Ef. 4:18) y estaba muerto para Dios (Col. 2:13; Ef. 2:1). Desde el principio Dios le dijo a Adán que el día que él comiera del árbol del conocimiento del bien y del mal ciertamente moriría (Gn. 2:17). En lo que respecta a su carne, después que Adán comió del fruto del árbol del conocimiento del bien y del mal, él aún vivió por varios cientos de años (5:3-5). Por tanto, la muerte de la que se habla aquí implica que el espíritu del hombre habría de morir antes de que muriera su carne. Morir simplemente significa ser ajeno a la vida y, como sabemos, Dios es un Dios de vida. Al alejarse de Dios, Adán se había alejado de la vida. Además, sabemos que el espíritu de Adán murió. Esto no significa que su espíritu desapareció, sino que su espíritu perdió la capacidad de tener comunión con Dios; perdió su aguda sensibilidad. Cuando el espíritu de Adán murió continuaba existiendo, pero estaba muerto para Dios. Adán había perdido la función de su espíritu. Después de que el hombre cayó, él vino a ser dominado por su alma y se volvió carnal (Ro. 7:14). Él ya no podía entender las cosas de Dios (1 Co. 2:14). El hombre no se sujetaba, ni podía sujetarse a la ley de Dios. Además, según Romanos 8:7-8, el hombre que está en la carne no puede agradar a Dios.

Teniendo en cuenta estos hechos, ¿acaso significa que el propósito eterno de Dios no sería cumplido? ¡No! ¡Dios es Dios! Él lo ha planeado todo según su beneplácito, y Él ejecutará Su voluntad eterna y cumplirá Su propósito eterno. Él aún desea impartir Su propia vida en el hombre, desea entrar en el hombre y ser uno con el hombre. Para lograr esto Él tenía que resolver el problema del pecado del hombre y redimir al hombre caído; Él tenía que liberar Su vida por medio de Su hijo, y Él tenía que regenerar al hombre por medio del Espíritu Santo.

La manera en que Dios efectúa la salvación

Dios envió a Cristo a fin de quitar el pecado del hombre y llevar al hombre caído de vuelta a Sí mismo. Cristo mismo llevó nuestros pecados en Su cuerpo sobre la cruz, "a fin de que nosotros, habiendo muerto a los pecados, vivamos a la justicia" (1 P. 2:24). Esto había sido tipificado en Números 21:4-9, donde dice que Moisés levantó la serpiente de bronce en el desierto. Los hijos de Israel habían pecado y merecían la muerte, pero Dios le dijo a Moisés que levantara la serpiente de bronce para que todos los que habían sido mordidos por una serpiente pudieran mirarla y vivir. De igual manera Cristo también fue levantado. Él murió por nosotros y llevó nuestros pecados. Ahora nosotros que estábamos muertos en pecado podemos tener la vida de Dios y vivir (Jn. 3:14-15).

Dios desea liberar Su vida, así que para cumplir ese propósito, Él puso Su vida en Cristo (Jn. 1:4; 1 Jn. 5:11). La vida de Dios que está en Cristo fue liberada cuando Cristo murió en la cruz, porque Cristo es el grano de trigo que cayó en la tierra y murió (Jn. 12:24). En efecto, cuando Cristo murió, la vida de Dios fue liberada. Y también es cierto que Dios nos regeneró mediante la resurrección de Jesucristo de entre los muertos (1 P. 1:3).

La regeneración significa nacer de Dios (Jn. 1:13), nacer del cielo (1 Co. 15:47). La regeneración también significa nacer del agua y del Espíritu (Jn. 3:5). Acerca de esto necesitamos cierta explicación. Cuando Juan el Bautista estaba predicando y bautizando, dijo: "Yo os he bautizado en agua; pero Él os bautizará en el Espíritu Santo" (Mr. 1:8). Juan el Bautista puso juntos el agua y el Espíritu Santo, y el Señor Jesús también puso juntos el agua y el Espíritu Santo. El agua a la cual se refería Juan es el agua del bautismo; por tanto, el agua a la cual se refirió el Señor Jesús también debe ser el agua del bautismo. Las palabras que habló el Señor Jesús a

Nicodemo debieron ser palabras que se podían entender fácilmente. En aquel entonces muchos sabían que Juan bautizaba con agua; así que cuando el Señor Jesús mencionó el agua, Nicodemo entendería inmediatamente que esto se refería al agua del bautismo que practicaba Juan. Si el agua mencionada por el Señor Jesús hubiera implicado otra cosa, habría sido difícil que Nicodemo lo entendiera. El agua de la cual hablaban; por tanto, tuvo que haberse referido al agua del bautismo.

El bautismo que Juan practicaba era el bautismo de arrepentimiento. Él les dijo a las personas que debían creer en aquel que vendría después de él, esto es, en Jesús (Hch. 19:4). El bautismo de arrepentimiento que Juan realizaba no podía hacer que los hombres fueran regenerados; a fin de ser regenerado, uno debe nacer tanto del agua como del Espíritu Santo. El bautismo de arrepentimiento no sólo significa que las acciones del hombre son malignas y muertas, y que él necesita arrepentirse; sino que también significa que el hombre mismo es corrupto y está muerto, y necesita ser sepultado, es decir, bautizado. Cuando un hombre entra al agua para ser bautizado, él admite ante Dios que sus acciones son malignas y confiesa que todo su ser es corrupto y está muerto en pecado; por tanto sólo merece morir y ser sepultado.

Pero el hombre no debe nacer meramente "del agua", sino que debe nacer "del agua y del Espíritu". Él también debe recibir el Espíritu Santo, el cual el Señor Jesús le da para que obtenga la vida de Dios. Juan el Bautista apareció predicando y diciendo: "¡Arrepentíos!" (Mr. 1:4), a lo cual el Señor Jesús inmediatamente agregó: "Creed" (v. 15). El arrepentimiento hace que el hombre abandone todo lo que tiene que ver consigo mismo, mientras que por el hecho de creer, el hombre es introducido en todo lo que es de Dios. En virtud del arrepentimiento, el hombre entra en el agua; y en virtud de la fe, él entra en el Espíritu Santo. Al entrar en el agua y en el Espíritu, el hombre nace del agua y del Espíritu. Por medio del arrepentimiento entramos en el agua y damos fin a la vida del viejo hombre. Por medio de creer entramos en el Espíritu Santo y obtenemos la vida de Dios; esto es la regeneración.

Aunque la regeneración consiste en "nacer del agua y del

Espíritu", es sólo mediante la obra realizada enteramente por el Espíritu Santo que el hombre experimenta la regeneración de manera subjetiva (objetivamente, esta obra se realiza completamente por medio de Cristo). Por tanto, en Juan 3 el Señor Jesús dijo sólo una vez que debemos "nacer de agua", mientras que mencionó tres veces que debemos "nacer del Espíritu" (vs. 5, 6, 8). La regeneración significa que hemos "nacido del Espíritu". El Espíritu viene a convencer "al mundo de pecado" (16:8) y hacer que el hombre se arrepienta. El Espíritu guía al hombre a recibir al Señor Jesús por fe; y después que ha creído y se ha arrepentido, Él entra en esta persona a fin de impartirle la vida de Dios y regenerarlo. Así que, el Espíritu ilumina al hombre a fin de llevarlo al arrepentimiento, luego le guía a creer, y después hace que reciba la vida de Dios. Él hace todo esto usando las palabras de las Escrituras, es decir, por medio de la palabra de verdad del evangelio. Por tanto, las Escrituras dicen que Dios nos regenera por medio del evangelio y por medio de la palabra de verdad (1 Co. 4:15; Jac. 1:18). Hemos sido "regenerados, no de simiente corruptible, sino de incorruptible, por la palabra de Dios, la cual vive y permanece para siempre" (1 P. 1:23). Dios se ha impartido a nosotros y ha sembrado Su vida en nuestro ser por medio del Espíritu, y mediante el uso de Sus palabras. Puesto que el Espíritu Santo nos tocó, nosotros creímos las palabras de Dios y la vida de Dios entró en nosotros. La vida de Dios está incorporada en Sus palabras. Además, las palabras de Dios son vida (Jn. 6:63). Por tanto, cuando recibimos las palabras de Dios, recibimos la vida de Dios.

La vida que recibimos en el momento de la regeneración no es una vida carnal, sino espiritual. Al igual que el viento, esta vida no tiene forma y no se puede ver (Jn. 3:8). Sin embargo, es muy práctica y puede ser hecha real al hombre. Por tanto, la regeneración es simplemente esto: que además de su propia vida, el hombre recibe la vida de Dios.

Cuando somos regenerados, tenemos la "potestad de ser hechos hijo de Dios" (Jn. 1:12) y, como tales, tenemos una relación de vida con Dios, tal como un hijo la tiene con su padre (Gá. 4:6; Ro. 8:15-16). La vida increada de Dios es la vida de Dios y también es la "vida eterna" (Jn. 17:3). Es la vida que

Adán pudo haber obtenido, pero no la obtuvo. Es la vida que el hombre no tiene antes de experimentar la regeneración, pero que entra en él cuando es regenerado. Ésta es la característica del nuevo pacto, la gloria del nuevo pacto. ¡Aleluya! En la vida de Dios está la naturaleza de Dios. Por tanto, cuando tenemos la vida de Dios, llegamos a ser "participantes de la naturaleza divina" (2 P. 1:4). Podemos entender el corazón de Dios, deseamos espontáneamente hacer lo que Dios quiere hacer, y somos aptos para expresar en nuestro vivir la imagen de Dios (Col. 3:10). Si un hombre dice que ha recibido la vida del Hijo de Dios, pero no expresa la naturaleza de esta vida en lo más mínimo, ni tampoco ama la justicia o aborrece el pecado, entonces la fe y la regeneración de este hombre son inciertas. La naturaleza de Dios está en la vida de Dios. Entonces, si no tenemos la naturaleza de la vida de Dios, ¿cómo podemos decir que tenemos la vida de Dios?

"Lámpara de Jehová es el espíritu del hombre" (Pr. 20:27). Después de la caída de Adán, el espíritu del hombre se entenebreció. Pero cuando el Espíritu Santo nos regeneró y puso la vida de Dios en nosotros, Él dio vida a nuestro espíritu (Ef. 2:5). Eso fue como encender una lámpara. La parte del hombre que murió primero cuando Adán cayó, fue el espíritu humano; así que en el momento de la regeneración, o sea, cuando el Espíritu Santo pone la vida increada de Dios en el espíritu del hombre, la primera parte del hombre que es avivada es su espíritu. La obra del Espíritu Santo empieza en el interior del hombre y opera desde el centro hacia la circunferencia; primero opera en el espíritu, luego en el alma y después en el cuerpo. Cuando el Espíritu Santo regenera al hombre, lo hace enteramente en el espíritu humano. Anteriormente, nuestro espíritu estaba muerto debido al pecado. Ahora nuestro espíritu ha sido avivado (Col. 2:13), y podemos conocer a Dios y ser sensibles al pecado. Por esta razón, si un hombre dice que es regenerado, mas no conoce nada de Dios y no tiene ningún sentir respecto a sus pecados, se puede dudar su regeneración.

Cuando el Espíritu Santo nos regeneró, nos dio un "corazón nuevo" y un "espíritu nuevo" (Ez. 36:26). Que el Señor nos haya dado un corazón nuevo no significa que nos diese otro corazón, sino que más bien ha renovado nuestro corazón corrompido. De igual manera, cuando Dios nos da un espíritu nuevo, no significa que nos da otro espíritu, sino que aviva nuestro espíritu muerto y renueva nuestro espíritu viejo. Un corazón nuevo nos hace aptos para pensar en Dios, desear a Dios y amar a Dios. Un corazón nuevo nos hace aptos para formar nuevos deseos y nuevas inclinaciones hacia las cosas celestiales y espirituales. Cuando tenemos un espíritu nuevo, ya no somos débiles e impotentes para las cosas espirituales como lo éramos antes, ni somos ignorantes de las cosas de Dios. Con un espíritu nuevo, llegamos a ser fuertes y poderosos en los asuntos espirituales; podemos obtener entendimiento en cuanto a las cosas de Dios (1 Co. 2:12) y podemos tener comunión con Dios.

Otro hecho glorioso que sucede cuando somos regenerados es que Dios pone Su Espíritu dentro de nuestro espíritu (Ez. 36:27). Después de la regeneración, el Espíritu mora en nuestro espíritu renovado. Esto era algo que desconocían las personas que estaban bajo el viejo pacto. En efecto, en los tiempos del viejo pacto el Espíritu Santo de Dios operaba en el hombre, pero las Escrituras no dicen claramente que el Espíritu de Dios venía a morar dentro del hombre para siempre. ¿Cómo sabemos que en la era del nuevo pacto el Espíritu Santo mora en nosotros todo el tiempo? Sabemos esto por las palabras que el Señor les dijo a Sus discípulos: "Yo rogaré al Padre, y os dará otro Consolador, para que esté con vosotros para siempre: el Espíritu de realidad, al cual el mundo no puede recibir, porque no le ve, ni le conoce; pero vosotros le conocéis, porque permanece con vosotros, y estará en vosotros" (Jn. 14:16-17). El Consolador es realmente el Señor mismo, pero que viene en otra forma, porque el Señor continuó diciendo: "No os dejaré huérfanos; vengo a vosotros" (v. 18). La persona a la que se hace referencia en el versículo 17 es la misma del versículo 18; por tanto, el Consolador es el Señor mismo, pero manifestado en otra forma. Cuando el Señor estaba en la tierra, Él estaba con Sus discípulos todo el tiempo, pero aún no le era posible morar en ellos. Después de la resurrección, el Señor fue hecho el Espíritu vivificante, y es de esa forma que Él podía morar dentro de Sus discípulos. Como el Dios encarnado, Cristo en la carne sólo podía estar entre los hombres, pero Cristo como el Espíritu puede entrar en el hombre. Por tanto, cuando el Espíritu está en nosotros, es Cristo quien está en nosotros (Ro. 8:9-10; 2 Co. 13:5); y cuando Cristo está en nosotros, es Dios quien está en nosotros (el Cristo que se menciona en Efesios 3:17 es el Dios que se menciona en el versículo 19). Qué bendición es que el Creador more en Sus criaturas. ¡Éste es el asunto más maravilloso, más bendecido y más glorioso del universo entero!

El Señor no nos dejó huérfanos. Esto significa que Él mismo toma cuidado de nosotros, nos alimenta, nos nutre y edifica, y lleva todas nuestras responsabilidades. Lo que Cristo cumplió en la cruz es un hecho objetivo, pero el Espíritu que mora en nosotros, convierte los hechos objetivos para que lleguen a ser nuestra experiencia subjetiva. El Espíritu de realidad guía al hombre a toda la realidad.

En el griego la palabra *consolador* tiene dos significados: uno es "el ayudante que está disponible". Esto nos habla de que el Espíritu Santo está disponible a nosotros como nuestro ayudante. Siempre que necesitemos de Su ayuda, parece que está de nuestro lado, siempre dispuesto para ayudarnos. El segundo significado es "abogado". Cristo defiende nuestra causa delante de Dios para nuestro beneficio.

Cuando fuimos regenerados, vinimos a ser salvos. Más aun, Dios nos salvó mediante el lavamiento de la regeneración (Tit. 3:5). La regeneración no sólo hizo que obtuviéramos vida, sino que también nos lavó; mediante la regeneración nuestra vieja creación fue eliminada. Esto significa que somos salvos y librados de la vieja creación. Al principio éramos una vieja creación, pero ahora mediante la renovación del Espíritu Santo (v. 5) tenemos un corazón nuevo, un espíritu nuevo y una vida increada. "Si alguno está en Cristo, nueva creación es; las cosas viejas pasaron; he aquí son hechas nuevas" (2 Co. 5:17).

Cuando el hombre tiene la vida de Dios, puede conocer a Dios y entender las cosas espirituales. Hoy, espiritualmente, el hombre se halla en el reino de Dios; en el futuro, en realidad, él entrará en el reino de Dios (Jn. 3:3, 5).

Por medio de la regeneración nosotros no sólo tenemos la vida de Dios hoy, sino también una esperanza viva para el futuro. Tenemos una herencia incorruptible, incontaminada e inmarcesible, reservada en los cielos para nosotros (1 P. 1:3-4). Hoy en la tierra somos un pueblo celestial, y en el futuro disfrutaremos la porción celestial. Podemos alabar y agradecer a Dios que la regeneración es tan maravillosa y que sus resultados son tan bendecidos y gloriosos. Debemos cantar:

> ¡El Salvador conmigo es uno!
> ¡Gran misterio es!
> ¡Qué salvación maravillosa,
> Dios en Su Hijo es!
> ¡Aleluya! ¡Aleluya!
> ¡Gran misterio es!
> ¡Nada en cielo o en la tierra
> Me apartará de Él!
>
> (*Himnos,* #166)

Cuando fuimos regenerados llegamos a pertenecer al género de Dios. No obstante, aún necesitamos crecer hasta alcanzar la madurez para ser conformados a Su género, es decir, hasta que lleguemos a ser un Dios-hombre glorificado. Debemos comprender que cada vida tiene sus propias características y capacidades. Por ejemplo, los pájaros poseen la vida del ave junto con las características y capacidades de esta vida. A los pájaros les gusta volar y poseen la capacidad de hacerlo. Los peces poseen la vida del pez con las características y capacidades de dicha vida. La vida del pez disfruta vivir en el agua y posee la capacidad de vivir en el agua. No sólo la vida animal es así, la vida vegetal también lo es. "Todo buen árbol da buenos frutos, pero el árbol malo da frutos malos. No puede el buen árbol dar malos frutos, ni el árbol malo dar frutos buenos" (Mt. 7:17-18). Así es la espontaneidad de la vida; ésta es la ley de vida.

Puesto que hemos sido regenerados, tenemos la vida de Dios. Esta vida también tiene sus características y capacidades. Sin embargo, debemos comprender que, si bien esta vida que hemos obtenido es completa en sí misma, no ha madurado en nosotros. El organismo de esta vida es completo, puede alcanzar el nivel más alto. Sin embargo, cuando fuimos regenerados, lo que experimentamos fue un nuevo nacimiento; la vida que recibimos aún no se había desarrollado por completo ni era madura. Esto es como el fruto que posee una vida completa en sí misma, pero que aún es inmaduro. En nuestro nuevo nacimiento se tiene un organismo completo, pero no en términos de la madurez. Sólo al alcanzar la madurez se puede dar compleción a cada parte de dicho organismo. Por tanto, después que el hombre es regenerado, necesita pasar por un largo proceso de renovación el cual el Espíritu Santo efectúa hasta que esta vida se perfeccione en todas las partes de su ser. En otras secciones veremos punto por punto cómo esta simiente de vida manifiesta sus características y capacidades.

LA LEY DE VIDA

Leamos Hebreos 8:10 otra vez: "Pondré Mis leyes en la mente de ellos, y sobre su corazón las escribiré". Este versículo nos muestra la diferencia que existe entre el nuevo pacto y el viejo pacto. En el viejo pacto la ley estaba puesta fuera del hombre y estaba escrita en tablas de piedra. En el nuevo pacto la ley es puesta dentro del hombre y está escrita sobre su corazón. Aquello que estaba fuera del hombre y había sido escrito sobre tablas de piedra debe ser de la letra (2 Co. 3:6). En ese caso, ¿cuál es la ley que puede ser puesta dentro de nosotros y puede ser escrita sobre nuestros corazones? ¿Y cuál es la naturaleza de esta ley? En la Palabra de Dios vemos que la ley que puede ser puesta dentro de nosotros y escrita sobre nuestro corazón no es la ley de la letra, sino la ley de vida. No toda ley es necesariamente de vida, pero toda vida debe poseer una ley. La ley que Dios imparte dentro de nosotros se origina en la vida que Dios nos ha impartido. Puesto que tenemos la vida de Dios, también debemos tener la ley de la vida de Dios. Dios vino al mundo en Su Hijo, y el Hijo de Dios entra en el hombre por medio del Espíritu. El Espíritu hace que el hombre tenga la vida de Dios. Esta vida ejerce cierta función en el hombre, y esta función es la ley de vida a la que nos referimos aquí. Es decir, esta ley de vida procede del Espíritu, y es "la ley del Espíritu de vida", de la cual se habla en Romanos 8:2. Observe que esta ley está en singular. En el viejo pacto había muchas leyes, pero en el nuevo pacto no existe la primera, la segunda, la tercera y la última ley. En el nuevo pacto sólo hay *una* ley, la ley de vida. Éste es el nuevo pacto. Aquí debemos señalar que la naturaleza de la ley de vida es que tiene una función espontánea. Por ejemplo, nuestros oídos pueden oír de manera espontánea: no es necesario ajustarlos a la fuerza. Sucede lo mismo con los ojos: no es necesario hacer un esfuerzo especial para ajustarlos, los ojos pueden ver espontáneamente. La lengua tampoco necesita que usemos nuestras fuerzas para regularla. Si uno gusta de algo malo, uno lo escupe espontáneamente; cuando nos gusta algo bueno, uno lo ingiere espontáneamente. Si nuestros oídos no pueden oír, los ojos no pueden ver y la lengua no puede gustar correctamente, se debe a que tenemos cierta enfermedad física o a la ausencia de vida. Lo que Dios ha impartido en nosotros es vida, y esta vida tiene una ley; Dios no ha puesto cierta clase de regulaciones o de letras en nosotros, sino algo viviente, la ley de vida, algo que es espontáneo.

Esto lo vemos en el siguiente ejemplo. Supongamos que le decimos a un duraznero muerto: "Tú debes tener hojas verdes, debes tener flores rosadas y a su debido tiempo debes producir duraznos". Usted puede hablarle de este modo desde el principio del año hasta el final, pero le hablará en vano y le rogará en vano, porque está muerto, no tiene vida. En cambio, si su duraznero está vivo, usted no necesita decirle nada. Espontáneamente brotará, echará hojas, florecerá y finalmente dará fruto. Ésta es la ley de vida. Esta ley tiene su función de forma espontánea.

Puesto que lo que Dios ha impartido en nosotros es vida, la ley de vida también está presente allí, por lo que debe tener su función de forma espontánea. Esta ley hará que la vida se exprese espontáneamente en nosotros y mediante la ley hará que se manifieste espontáneamente todo lo que está contenido en ella. Más aun, esta vida manifestará la sabiduría de Dios y todo lo que Él es por medio de esta ley. Mientras que no la obstaculicemos, se manifestará espontáneamente.

LAS LEYES Y LAS PARTES INTERNAS

Jeremías 31:33 dice: "Pondré Mi ley en su mente [lit. partes internas] y la escribiré en su corazón". A fin de entender cuáles son las partes internas, debemos considerar de qué se compone el corazón. El corazón que estamos considerando aquí no es el corazón biológico, sino el corazón mencionado en las Escrituras, y el cual muchos de los que pertenecen al Señor conocen por experiencia. Según la crónica de las Escrituras, el corazón se compone de varias partes, las cuales consideraremos una por una.

Las partes del corazón

(1) El corazón incluye la conciencia. Vemos esto en Hebreos 10:22, donde dice: "Purificados los corazones de mala conciencia con la aspersión...". En 1 Juan 3:20 dice: "Si nuestro corazón nos reprende...". Reprender es una función de la conciencia, y vemos por medio de estos versículos que la conciencia está dentro del sistema del corazón. Por esta razón, decimos que el corazón incluye la conciencia.

(2) El corazón incluye la mente. Mateo 9:4 dice: "¿Por qué pensáis mal en vuestros corazones?". Marcos 2:6 habla de cavilar en el corazón; Lucas 1:51 habla del pensamiento del corazón; y Lucas 24:38 de las dudas del corazón. La facultad de entender corresponde al corazón (Mt. 13:15). María guardaba ciertas cosas, meditándolas en su corazón (Lc. 2:19) y, según Hebreos 4:12, los pensamientos están en el corazón. Por medio de estos versículos podemos ver claramente que el corazón incluye la mente.

(3) El corazón incluye la voluntad. Hechos 11:23 contiene esta frase: "con propósito de corazón"; Romanos 6:17 menciona "habéis obedecido de corazón"; en 2 Corintios 9:7 dice que uno puede proponerse algo en su corazón; y Hebreos 4:12 habla de las "intenciones del corazón". Estos versículos nos muestran claramente que el corazón incluye la voluntad.

(4) El corazón también incluye la parte emotiva. Génesis 45:26 dice: "El corazón de Jacob se permaneció impasible". Lucas 24:32 dice: "¿No ardía nuestro corazón en nosotros?". Juan 14:1 dice: "No se turbe vuestro corazón", y en 16:22 dice: "Se gozará vuestro corazón". Estos versículos indican claramente que el corazón incluye la parte emotiva.

Aunque no nos atrevemos a decir que la conciencia es el corazón, que la mente es el corazón, que la voluntad es el corazón o que la parte emotiva es el corazón, podemos decir que el corazón incluye la conciencia, la mente, la voluntad y la parte emotiva. El corazón controla la conciencia, la mente, la voluntad y la parte emotiva, y es la totalidad de estos cuatro aspectos de nuestro ser. Más adelante, al hablar de las partes específicas del corazón, nos referiremos a ellas como la conciencia del corazón, la mente del corazón, la voluntad del corazón y la parte emotiva del corazón.

Con esto podemos ver que las partes internas mencionadas en Jeremías 31:33 se componen por lo menos de las cuatro partes del corazón: la conciencia, la mente, la voluntad y la parte emotiva.

Las relaciones que existen entre el corazón y las leyes

En Hebreos 8:10 y 10:16 tenemos la palabra en plural *leyes,* aunque la ley de vida no es plural sino singular. ¿Por qué entonces en ambos versículos dice leyes? ¿Por qué razón la ley se ha vuelto plural? La razón es que la vida que hemos recibido mediante la regeneración tiene sólo una ley, que es la ley de vida. Sin embargo, esta ley tiene más de una función en nosotros. La vida de Dios ejerce cierta función en cada una de nuestras partes internas. En el espíritu ejerce cierta función, en la mente ejerce cierta función, en la voluntad también, así como en la parte emotiva. La vida tiene su función en todas las partes internas. Cuando Jeremías dice: "Pondré Mi ley en su mente y la escribiré en su corazón", significa que la ley de vida de Dios tiene una función en cada una de nuestras partes internas.

Por tanto, la ley en sí misma es singular, pero en cuanto a la función que esta ley ejerce en nuestro ser es plural. Es igual al agua que fluye; la fuente es una, pero las tuberías son muchas. La vida sólo tiene una ley en nosotros, pero esta ley se ha extendido a nuestras partes internas. Ahora tenemos esta ley en nuestro espíritu, en nuestra mente, en nuestra voluntad y también en nuestra parte emotiva. En cuanto a la vida en sí misma, hay una sola ley, pero en cuanto a la función que esta ley cumple al operar, hay muchas leyes. La ley se extiende a las diferentes partes de nuestro ser y llega a ser varias leyes, pero la fuente es sólo una.

El corazón es la puerta de nuestro ser

Aunque el espíritu es la parte más elevada del hombre, lo que representa al yo del hombre no es el espíritu, sino el corazón. El corazón es el representante del hombre. Salmos 4:4 habla de tener comunión con nuestro corazón. Esto indica que el corazón es el verdadero ser del hombre. Nuestro corazón es la parte más importante de nuestro ser.

El corazón está ubicado entre el espíritu y el alma. Por tanto, todo lo que entra en el espíritu debe pasar por el corazón, y todo lo que proviene del espíritu también debe pasar por el corazón. Proverbios 4:23 dice: "Sobre toda cosa que guardes, guarda tu corazón, / porque de él mana la vida". Esto significa que el corazón es la puerta de salida por la cual fluye la vida. Es decir, el fruto que manifieste el hombre emana de su corazón, y por esto el corazón es la parte más importante. El corazón es el camino forzoso por el cual transita la vida. Por tanto, para que la vida de Dios pueda entrar en nosotros, lo que Él primero debe hacer es que nuestro corazón se conmueva. Mientras nuestro corazón no se haya compungido ni arrepentido, la vida de Dios no tendrá manera de entrar. Cuando Dios nos hace sentir los sufrimientos relacionados con el pecado, la dulzura de Su amor o el valor inapreciable de Cristo, Él siempre toca nuestro corazón, haciendo que nos lamentemos y nos arrepintamos. Hacer que nuestro corazón se lamente es la función específica de la conciencia, y arrepentirse equivale a tener un cambio en la manera de pensar. Cuando nuestro corazón es conmovido de esta manera, nuestra voluntad toma una decisión y nuestro corazón cree. De este modo, al recibir a Cristo, la vida de Dios entra en nosotros y se siembra en nuestro interior (1 P. 1:23).

El corazón es el interruptor de la vida

Un grano de trigo que ha sido sembrado en la tierra comenzará a crecer y continuará creciendo. Sin embargo, su crecimiento depende de ciertas condiciones. Por ejemplo, si uno planta una semilla, pero si nunca la riega no podrá crecer.

Vemos estos principios no sólo en la vida, sino también en la física. La electricidad, por ejemplo, es algo poderoso, pero cuando el pequeño interruptor es apagado el flujo de la electricidad deja de circular. Es verdad que la vida es poderosa y espontánea, pero si hay algo que obstaculiza su desarrollo o si las condiciones para su desarrollo están ausentes, no crecerá y parecerá como si el crecimiento se hubiera detenido. ¿Cómo entonces puede desarrollarse esta vida en nosotros? Debemos recordar que el hecho de que recibamos la vida es algo que comienza con nuestro corazón y que el crecimiento de esta vida también se inicia en nuestro corazón. Si la vida que está en nosotros ha de crecer o no, depende de si nuestro corazón está abierto a Dios o no. Si nuestro corazón está abierto a Dios, la vida crecerá y se extenderá en nosotros, pero si nuestro corazón permanece cerrado a Dios, la vida que está en nosotros no podrá desarrollarse y extenderse. Por tanto, el crecimiento y desarrollo de la vida en nosotros es un asunto completamente relacionado con el corazón. No debemos descuidar este asunto.

Debemos darnos cuenta de que con el corazón sentimos deseos e inclinaciones, mientras que el espíritu nos permite tener comunión y comunicación con Dios. Por tanto, desear a Dios y amar a Dios no son asuntos relacionados con el espíritu, sino asuntos vinculados al corazón, pero adorar y servir a Dios no son asuntos vinculados al corazón, sino asuntos relacionados con el espíritu. El corazón puede amar a Dios, pero no puede tener contacto con Dios. El corazón puede inclinarse hacia Dios, pero no puede tener comunión con Dios. Sólo el espíritu puede tener contacto con Dios y tener comunión con Dios.

Algunos dirán que si hemos de percibir las cosas de Dios, necesitamos usar nuestra mente, al igual que al escuchar los sonidos necesitamos usar nuestra mente. Aunque es verdad que para escuchar los sonidos debemos usar la mente, también es verdad que para ello debemos usar nuestros oídos. Aunque alguien estuviese hablando, si usted no tuviera oídos, su mente no podría entender lo que esa persona está diciendo. Ocurre lo mismo con la vista; si tenemos los colores rojo, blanco, amarillo y azul pero usted no tiene ojos con que ver, usted no podría entender que cosa es el color rojo, el blanco, el amarillo o el azul. Si usted desea ver, debe usar sus ojos. Los sonidos se transmiten a su mente a través de los oídos, y los colores se transmiten a su mente a través de los ojos. Asimismo, las cosas espirituales necesitan ser percibidas por el espíritu.

Si Dios desea tener comunión y comunicación con nosotros, y nosotros no tenemos corazón, le sería imposible hacerlo. Nuestro corazón es semejante al interruptor eléctrico; cuando se enciende, la luz se enciende. Cuando se apaga, la luz se apaga. Si nuestro corazón está abierto a Dios, es fácil que Dios tenga comunión con nosotros, pero si nuestro corazón está cerrado a Dios, es difícil que Él tenga comunión con nosotros. Ciertamente la vida de Dios está en nosotros; no obstante, el corazón es el interruptor de esta vida. Si la vida de Dios puede pasar de nuestro espíritu a la conciencia, o si Su vida puede pasar por nuestro espíritu y alcanzar nuestra mente, o si puede pasar por nuestro espíritu y alcanzar nuestra voluntad o afectar nuestra parte emotiva, es un asunto que depende del corazón. Si nuestro corazón está abierto , la vida de Dios tiene la manera de hacerlo; si nuestro corazón permanece cerrado, la vida de Dios no podrá hacerlo.

El corazón puede obstaculizar el mover de la vida

Cuando el Espíritu Santo nos regeneró, nosotros recibimos la vida increada de Dios. Esta vida es poderosa y no tiene limitaciones. No está limitada por el espacio ni por el tiempo. Pero si tenemos problemas con nuestro corazón, eso será un gran obstáculo para la vida de Dios. Si tenemos problemas con nuestra conciencia, nuestra mente, nuestra voluntad o nuestra parte emotiva, la vida de Dios se verá obstaculizada. La vida de Dios se ha impartido en nuestro espíritu, pero esta vida desea extenderse y mudarse a las diferentes partes de nuestro ser interior. Si tenemos problemas con cualquiera de nuestras partes internas, esta vida será obstaculizada y detenida.

Todo aquel que pertenece al Señor, por la gracia de Dios, tiene la vida de Dios en él. Esto es un hecho definitivo e innegable. Que la vida de Dios sea algo viviente y que viva en nosotros, también es algo que no se puede negar. Puesto que tenemos la vida de Dios, nosotros podemos recibir revelación e iluminación; Su voz y Su sentir están dentro de nosotros. ¿Por qué, entonces, es que muchos de los hijos de Dios dicen: "Yo no recibo ni revelación ni iluminación, y no puedo escuchar Su voz ni percibir Su sentir"? ¿Acaso quiere decir que la vida de Dios que está en ellos no es verdadera? ¿Significa que la vida de Dios no es algo viviente? No, la vida de Dios es definitivamente verdadera y viviente. Además, la vida de Dios vive en ellos. La razón por la que no reciben revelación o iluminación, la razón por la que no oyen Su voz ni perciben Su sentir es porque ellos tienen un problema con su corazón. Quizás tienen un problema con su conciencia, tal vez ésta les acusa por algún pecado, al cual ellos aún deben hacer frente. Quizás el problema consiste en que su mente está ocupada con ansiedades, preocupaciones, pensamientos malignos, razonamientos o dudas. O pueden tener un problema relacionado con su voluntad, como por ejemplo: se aferran obstinadamente a sus opiniones o no están dispuestos a obedecer. Su parte emotiva también puede estar impregnada de deseos carnales o de inclinaciones naturales. De cualquier manera, alguna parte de su corazón tiene algún problema.

La vida de Dios ha sido impartida en nosotros, y esta vida desea salir de nuestro espíritu, pero de nuestra parte, nosotros no le permitimos avanzar. A veces nuestra conciencia no le da el paso, otras veces nuestra mente o nuestra voluntad no le permiten pasar y en otras ocasiones nuestra parte emotiva no permiten que la vida pase a través de ellas. Por tanto, la vida de Dios no puede manifestarse a través de nosotros. Debemos recordar que a medida que la vida de Dios se mueve en nuestro ser, debe pasar por las diferentes partes de nuestro corazón y si hay un problema en cualquier parte del corazón impedirá el mover de la vida de Dios.

Esto se puede comprobar con Efesios 4:17-19: "Esto, pues, digo y testifico en el Señor: que ya no andéis como los gentiles, que todavía andan en la vanidad de su mente, teniendo el entendimiento entenebrecido, ajenos a la vida de Dios por la ignorancia que en ellos hay, por la dureza de su corazón; los cuales, después que perdieron toda sensibilidad, se entregaron a la lascivia para cometer con avidez toda clase de impureza".

La palabra que se tradujo "mente" en el versículo 17 es *nous* en el texto griego. Esta palabra se usa veinticuatro veces en el Nuevo Testamento. A veces se traduce como "mente" (como en Lc. 24:45; Ro. 1:28; 7:23, 25; 11:34; 12:2; 14:5; 1 Co. 1:10; 2:16; Ef. 4:17, 23; Col. 2:18; 2 Ts. 2:2; 1 Ti. 6:5; 2 Ti. 3:8; Tit. 1:15; Ap. 17:9) y otras veces como "entendimiento" (como en 1 Co. 14:14-15, 19; Fil. 4:7; Ap. 13:18). El significado de la palabra *nous* incluye tanto mente como entendimiento. El ser humano posee tres órganos de percepción: el cerebro, que se halla en nuestro cuerpo; la intuición, que se halla en nuestro espíritu; y la mente, que se halla en nuestra alma. Nuestra mente debe ser gobernada por nuestra intuición. Todos entendemos el papel que cumple el cerebro en nuestro cuerpo, pero la intuición es algo escondido y no es tan obvio. A veces la percibimos y a veces no; a veces nos impulsa y a veces nos detiene. A esto le llamamos la intuición. Entre la intuición y el cerebro se encuentra la mente. La mente expresa lo que la intuición quiere decir y hace que el cerebro lo haga claro. Sin embargo, aunque tengamos una fuerte intuición y un cerebro sano, si la mente tiene algún problema, lo que tenemos dentro de nosotros no se podría conocer. En Efesios 4:17, el *nous* alude a un órgano que es capaz de pensar, así como nuestros ojos tienen la capacidad de ver. Pero la palabra *entendimiento* del versículo 18, que en el griego es *dianoia,* define la función de este órgano y se puede comparar a la visión. Es el poder de entender.

La mente vana del hombre (el *nous*) es su imaginación, sus "castillos en el aire". Esta clase de mente siempre está invadida de pensamientos vanos. En cierta ocasión, después de que un predicador había concluido su sermón, pidió a algunos de la congregación que oraran. En la oración que hizo cierto hombre, él dijo algo acerca de 250 "cuerdas" de dinero (en aquel entonces el dinero se contaba por "cuerdas"). La mente de este hombre estaba completamente llena de imaginaciones que él se fabricaba en torno a riquezas. Cuando la vida de Dios se extendió a esta parte de su ser, ¿cómo podría abrirse paso en ella? Mediante este ejemplo, vemos que no importa si es una persona, asunto o cosa, todo puede convertirse en imaginaciones para ocupar nuestra mente. Cada vez que nuestra mente está ocupada por alguna imaginación, ahoga la vida de Dios (Mt. 13:22).

Cuando el hombre ocupa su mente en imaginaciones, su entendimiento se entenebrece y el poder para entender se debilita. Sé de un cristiano joven que estaba muy ocupado con cierto asunto; su mente continuaba dándole vueltas al asunto repetidamente, hasta dejarlo exhausto. En un momento él llegó a pensar que se trataba de la voluntad de Dios, y en otro momento pensaba que no era la voluntad de Dios. Su mente daba vueltas continuamente y, como resultado, quedó completamente confundido. Esto significa que su *dianoia*, su entendimiento, fue entenebrecido.

Lo que causa que nuestra mente se vuelva vana, nuestro entendimiento se vuelva entenebrecido y nos volvamos ajenos a la vida de Dios, son nuestra ignorancia interior y la dureza de nuestro corazón, lo cual hace que abandonemos toda sensibilidad. El corazón puede endurecerse hasta tal punto que pierde toda sensibilidad. Por esta razón, la fuente del problema yace en el corazón.

En resumen, podemos decir que cuando el corazón se endurece, nos volvemos ajenos a la vida de Dios; nos volvemos ignorantes y somos incapaces de entender. El resultado es que el crecimiento de vida es obstaculizado. Por consiguiente, debemos comprender que no es que la ley de vida no se mueva en nosotros —la ley de vida siempre está esperando que le demos la oportunidad de extenderse a nuestras partes internas—, sino que cuando tenemos problemas con las diferentes partes de nuestro corazón, el mover de la vida será obstaculizado. Por lo tanto, a fin de que la vida de Dios se extienda y se mueva sin impedimento alguno, es primordial que no haya ningún problema en nuestro corazón.

Ablandar el corazón de piedra, y el mover de la vida

Ezequiel 36:25-27 habla de por lo menos cinco asuntos: (1) hemos sido lavados con agua limpia; (2) se nos ha dado un corazón nuevo; (3) tenemos un espíritu nuevo dentro de nosotros; (4) ha sido quitado nuestro corazón de piedra y se nos ha dado un corazón de carne; y (5) dentro de nosotros fue puesto el Espíritu de Dios. El resultado de juntar estas cinco cosas es que podemos andar en los estatutos de Dios y guardar Sus ordenanzas. Ya hemos indicado que Dios nos ha dado un corazón nuevo con un espíritu nuevo, y que el Espíritu Santo mora dentro de nosotros. Ahora prestaremos atención al asunto de cómo Dios quita nuestro corazón de piedra y nos da un corazón de carne. Debemos entender que al hablar de un corazón de piedra y de un corazón de carne, no estamos diciendo que tenemos dos corazones; sólo tenemos un corazón. Un corazón de piedra se refiere a la dureza del corazón, mientras que el corazón de carne se refiere a la sensibilidad del corazón; pero el corazón sigue siendo uno solo. Cuando fuimos salvos, Dios nos dio un corazón de carne, pero nuestro corazón de piedra aún estaba allí. Por una parte, podríamos decir que teníamos un corazón de carne, por otra, que teníamos un corazón de piedra. Quitar el corazón de piedra no es algo que ocurre de una vez por todas; antes bien, el corazón se ablanda gradualmente. La medida en que puede crecer la vida de Dios en nosotros, depende totalmente de cuánto se haya ablandado nuestro corazón. Nuestro corazón de piedra debe transformarse gradualmente en un corazón de carne, a fin de que la vida de Dios pueda propagarse sin impedimento.

Entre los hijos de Dios, muchos han tenido la siguiente experiencia: primero fueron salvos y entonces su corazón endurecido se ablandó, mas no del todo. En el momento de su salvación su corazón se ablandó quizás un setenta por ciento, pero después de un tiempo se endureció otra vez; tal parece que regresaron a su condición anterior. Peor aún, el endurecimiento de su corazón parecía ser aún más grave. Quizás su corazón fue atrapado por ciertas cosas o afectado por cierta persona, o tal vez se vio enredado en algo o fue atraído por cierto empleo. Estas cosas arrastran al hombre y todas son problemas del corazón. Si la vida ha de crecer y extenderse en nosotros, eso dependerá totalmente de la transformación de nuestro corazón. Dependerá de que nuestro corazón sea blando o duro. Si nuestro corazón es cautivado por otras cosas que no sean Dios, ya sea cierto objeto, cierta persona o cierto asunto, el mover de la vida estará obstruido. Por lo tanto, Dios desea transformar nuestro corazón. Él continuará transformándonos hasta que nuestro corazón haya cambiado y se haya vuelto un corazón de carne. Entonces el Espíritu de Dios hará que Su vida se extienda en nosotros de una manera prevaleciente. Cuando la vida de Dios desea moverse dentro de nosotros, Él siempre toca primero nuestro corazón, haciendo que nuestro corazón de piedra se ablande. Algunas personas son conmovidas por el amor de Dios, otras por Su disciplina. Cuando los hijos de Israel se alejaban de Dios, Él los hería y ellos regresaban a Él. Otro ejemplo, es el de una hermana que estaba totalmente cautivada por su hijo, pues lo atesoraba en exceso. Dios le habló una vez al respecto, pero no escuchó. Dios le habló dos y tres veces más, pero aún ella se negaba a escucharle. Luego, Dios le quitó al hijo, en ese momento su corazón se volvió a Dios. También había otro hermano que estaba enredado en sus negocios. Dios le habló una vez, dos veces, cinco veces, diez veces, pero él no escuchaba. Entonces Dios hizo que sus negocios se vinieran abajo. Entonces el se volvió a Dios. Hay quienes en su servicio a Dios han sido capturados por la obra y están ocupados laborando desde la mañana hasta la noche. Es verdad que la obra es algo espiritual, pero también puede capturar el corazón y ocupar el lugar de Dios. Había alguien a quien Dios le habló una vez porque estaba en esa situación, pero él no le escuchó. Dios le habló diez veces, y aun así no le obedecía. Entonces, Dios le hirió, y él fue abatido; su corazón fue alumbrado, y entonces él se volvió a Dios. Algunos hermanos y hermanas tienen una práctica especial, un mérito especial o alguna justicia especial, pero esa práctica, mérito o justicia llegan a ser su jactancia, el criterio según el cual miden a otros. Como estas cosas llenan su corazón, aunque Dios les hable una vez, dos veces, diez veces, veinte veces, ellos no le escuchan. Entonces Dios pone Su mano sobre ellos; sólo entonces son alumbrados de tal modo que se postran ante Dios, y sus corazones se vuelven totalmente a Dios. Mediante dicha obra, Dios transforma sus corazones de piedra en corazones de carne, a fin de que Su vida pueda moverse en ellos sin ningún impedimento. Si su corazón ha sido tocado por Dios, usted dirá espontáneamente: "Oh Dios, me consagro a Ti. Quiero que vuelvas mi corazón a Ti por completo". Cuando usted se ofrece a Dios de esta manera, y permite que Él obre en usted, Él se moverá en usted, y cuando Él se mueve, usted verá algo, oirá algo y sentirá algo. Si usted está dispuesto a obedecer a Dios, Su vida se moverá entrando a su conciencia, a su mente, a su voluntad y a su parte emotiva. De este modo, la vida de Dios continuará moviéndose en usted sin cesar.

Dos condiciones para el mover de la vida

La ley de vida debe estar saliendo continuamente. Dios desea moverse por las diferentes partes internas de nuestro ser, pero muchas veces cuando la ley de vida se mueve, se encuentra con una pared rígida que no le es posible atravesar; hay algo que impide su mover. Por lo tanto, a fin de que la vida se mueva y pueda pasar a través de nosotros, debemos cumplir con dos condiciones.

Obedecer el primer sentir de vida

La primera condición es obedecer el primer sentir de vida que percibimos. A menos que un hombre no sea regenerado, él siempre tendrá algún sentir de vida. Un hermano cristiano que era médico le hizo esta pregunta a un predicador: "Tanto el comienzo como el crecimiento de nuestra vida espiritual empiezan con el hambre y la sed, pero muchas personas no sienten hambre ni sed. Cuando ese es el caso, ¿cómo podemos hacer para que tengan hambre y sed?". La respuesta fue: "Usted es médico. Sabe que el hombre tiene vida y que a menos que esté muerto, él tendrá algo de apetito. ¿Qué puede hacer para que su apetito aumente? Prescribiéndole algo para aumentar su apetito. A medida que él toma la medicina, su apetito aumenta poco a poco. Usted continúa haciendo así hasta que su apetito se restaure y alcance un nivel normal. Por tanto, cada vez que tengamos un pequeño sentir, debemos obedecerle. Tan pronto obedecemos ese sentir, nuestra hambre y sed aumentan un poco. Cuando obedecemos nuevamente, el hambre y la sed aumentarán en mayor medida y nuestro sentir se volverá más fuerte, y entonces obedecemos de nuevo. Cuanto más obedecemos, más fuerte será el sentir que percibimos. Si continuamos por este camino, interiormente llegaremos a ser vivientes". La vida del Señor se mueve dentro de nosotros de la misma manera. Si se mueve y entra a nuestra parte emotiva, nos trae de regreso a Dios; si se mueve a nuestra mente, nos hace volver a Dios; si se mueve y entra a nuestra voluntad, nos hace que nos volvamos a Dios. En virtud del mover continuo y de volvernos a Él, la vida dentro de nosotros aumentará, se profundizará y crecerá. Por tanto, necesitamos comenzar obedeciendo el más pequeño sentir. Siempre que tengamos un sentir, debemos obedecerlo.

Algunos preguntarán: "Después de obedecer, ¿qué sigue?". La respuesta es que, antes de que usted obedezca el primer sentir, no debe preocuparse del siguiente paso. Según las Escrituras, Dios nunca le da a un hombre un sentir y otro sentir. Tomemos a Abraham como ejemplo. Él salió sin saber adónde iba (He. 11:8). Sólo sabía que Dios quería que él dejara su hogar, su tierra y su parentela a fin de entrar a un lugar que Dios le mostraría (Hch. 7:3). Su primer sentir era que tenía que salir de Ur de los caldeos. El sentir de vida que nos guía nunca hará de nosotros personas independientes, sino siempre dependientes. La experiencia de Abraham fue ésta: "daré este primer paso. El siguiente paso no lo conozco". Mientras andaba paso a paso, él dependía completamente del Señor. Dios no sólo le dio fe a Abraham, sino que también forjó Su vida y Su naturaleza en Abraham. Por tanto, después de obedecer el primer paso, aún necesitamos mantener nuestros ojos en Dios, encomendando el segundo paso a Dios mediante la comunión. Al andar de esta manera, paso a paso, Dios nos guiará.

Cuando por la gracia de Dios aprendemos a seguirlo interiormente, siempre tendremos un sentir en nosotros. Cuando andamos de esta manera paso a paso y llegamos a hacer algo que va más allá de lo que Dios nos permite, un movimiento que no corresponde con la vida dentro de nosotros, de inmediato sentimos que el Espíritu Santo nos lo prohíbe (Hch. 16:6). Esto es tan precioso. Inmediatamente, tendremos el sentir de que el Espíritu de Jesús no nos lo permite (v. 7). Si obedecemos el guiar interior una y otra vez, ya sea para hacer o no hacerlo, creceremos en vida. Repetimos: es imprescindible obedecer el primer sentir de vida; incluso debemos obedecer el sentir más leve, porque obedecer es una condición importante para permitir que la vida se mueva.

Amar a Dios

Otra condición es amar a Dios. Marcos 12:30 dice: "Amarás al Señor tu Dios con todo tu corazón, y con toda tu alma, y con toda tu mente y con todas tus fuerzas". Según el idioma original, la palabra traducida "mente" se debe traducir "entendimiento" *(dianoia)*. Este versículo nos muestra que tenemos que usar todo nuestro corazón, toda nuestra alma, todo nuestro entendimiento y todas nuestras fuerzas para amar a Dios. La Palabra de Dios nos muestra que amar a Dios se relaciona con el mover de la vida. La experiencia de muchos santos indica que Dios primero siembra la vida en nosotros y luego hace que nuestra parte emotiva sea constreñida con Su amor. El Evangelio de Juan hace énfasis en la fe y también en el amor. Este evangelio nos dice que el que cree tiene vida eterna (Jn. 3:16). También dice: "El que me ama, Mi palabra guardará; y Mi Padre le amará, y vendremos a él, y haremos morada con él" (14:23). La fe equivale a recibir la vida dentro de nuestro ser, mientras que el amor significa permitir que la vida fluya de nosotros. Sólo la fe hace posible que la vida entre en nuestro ser, y sólo el amor hace posible que la vida fluya.

Por tanto, debemos permitir que este amor alcance nuestro corazón para que fluya a nuestra parte emotiva, mente y voluntad. Necesitamos levantar nuestras cabezas y decir: "¡Oh, mi Dios, quiero amarte con todo mi corazón; quiero amarte con toda mi alma; quiero amarte con todo mi entendimiento; quiero amarte con todas mis fuerzas!". Toda persona que haga esto de cierto observará inmediatamente los cambios que experimentará en su mentalidad, y cómo cambiarán sus palabras y su comportamiento. Todo cambiará por completo, lo que está en ella y lo que sale de ella, porque en esta persona aconteció una historia de amor. Hermanos y hermanas, lo que Dios espera de nosotros hoy es que le permitamos tocar nuestro corazón, nuestra alma, nuestro entendimiento y nuestras fuerzas. En 2 Corintios 3:16 dice: "Pero cuando su corazón se vuelve al Señor, el velo es quitado". Siempre que nuestro corazón se vuelva al Señor, tendremos luz, Su voz y el sentir de vida.

Así que, la pregunta no es: ¿en qué consiste la luz?, ¿cuál es Su voz? O ¿qué cosa es el sentir de vida? La pregunta es: ¿Dónde está nuestro corazón? Si nuestro corazón está pegado a cierta persona, asunto o cosa; si está apegado a los dones, a las experiencias espirituales o a la obra espiritual, la propagación de la vida será obstaculizada. El fluir de la vida interior será restringido, debido a que no puede abrirse paso a través del corazón. Por esta razón, debemos volver nuestro corazón al Señor y fijarlo en Dios mismo. Si nuestro corazón se vuelve a Dios, seremos iluminados interiormente, oiremos Su voz y tendremos el sentir de vida interior. Hermanos y hermanas, si deseamos conocer la voluntad de Dios, no debemos procurar entenderla con nuestra mente; primero debemos volver nuestro corazón a Dios. Debemos decir: "Oh Dios, sólo te deseo a Ti; no deseo nada más". Si hacemos esto, entenderemos la voluntad de Dios con facilidad.

Romanos 12:1-2 nos comprueba estas cosas. Pablo primero dijo: "Así que, hermanos, os exhorto por las compasiones de Dios". Al hablar estas palabras, él primero tocó las emociones de ellos. Luego dijo: "Que presentéis vuestros cuerpos en sacrificio vivo". Su intención al decir estas palabras era mover la voluntad. Luego él dijo: "Transformaos por medio de la renovación de vuestra mente, para que comprobéis cuál sea la voluntad de Dios: lo bueno, lo agradable y lo perfecto". Esto es para conocer la voluntad de Dios con nuestra mente. Esto revela que la vida de Dios en nosotros puede extenderse a nuestra parte emotiva, a nuestra voluntad y a nuestra mente. De esta manera la vida impregna todas las partes internas de nuestro ser y fluye a través de nosotros. Cuando nuestro corazón se vuelve absolutamente a Dios, Él imparte un sentimiento dentro de nosotros, y nos dirigirá y respaldará a fin de que tengamos las fuerzas para obedecerle. Entonces cambiaremos interior y exteriormente. Por tanto, si deseamos que la vida interior se propague hasta salir, si queremos que la vida crezca, ¡necesitamos amar al Señor nuestro Dios con todo nuestro corazón, con toda nuestra alma, con todo nuestro entendimiento y con todas nuestras fuerzas!

Los dos funciones del mover de vida

La vida de Dios se mueve continuamente. Si estamos dispuestos a cooperar con Él al obedecerle, la vida interior va a crecer y se desarrollará espontáneamente. Si permitimos que esta vida continúe moviéndose en nosotros, a fin de que se extienda a nuestra conciencia, a nuestra mente, a nuestra parte emotiva y a nuestra voluntad, tal mover continuo eliminará todo lo que no debe haber en nuestro ser y forjará en nosotros todas las riquezas de Dios. De esta manera siempre habrá algo que está siendo eliminado y algo que está siendo añadido. A medida que más cosas sean eliminadas, más serán añadidas. Todo lo que es eliminado es lo que no debemos contener; lo que es añadido es algo que debemos tener. Lo que es eliminado es algo de Adán, mas lo que es añadido es algo de Cristo. Lo que es eliminado es viejo, pero lo que es añadido es nuevo. Lo que es eliminado está muerto, pero lo que es añadido es viviente. Mediante este proceso gradual de eliminación y de adición, la vida crece dentro de nosotros.

Cuando la vida de Dios se está moviendo en nuestro ser, se manifiestan dos funciones. La primera es la muerte y la segunda es la resurrección. La función de la muerte es quitar de en medio la enfermedad, mientras que la función de la resurrección es darnos salud. El primer elemento de la cruz del Señor es la muerte, mientras que el segundo es la vida. Romanos 6 nos dice que estos dos elementos son los más poderosos y los más útiles en la vida de Cristo. La cruz significa simplemente que cuando nuestro corazón es tocado por Dios, nosotros nos ofrecemos a Él de modo que Su vida puede continuar propagándose en nosotros. Cuando Su vida se mueve, tiene un elemento que nos hace morir. Esta función que nos da muerte eliminará las cosas dentro de nosotros que no debemos tener; eliminará las cosas que son contrarias a Dios, contrarias a la vida y contrarias al Espíritu Santo. Por otra parte, se manifiesta un elemento de vida que nos hace vivientes. Esta función que nos vivifica hace que expresemos todas las riquezas de la Deidad en nuestro vivir, a fin de que seamos llenos de luz, llenos de gozo y llenos de paz. Por tanto, la muerte de Cristo y la vida de Cristo nos hace que seamos librados del pecado y de todo lo que Dios aborrece y condena. Por otra parte, hacen que recibamos algo fresco, algo que nos alumbra y nos da alegría y paz. De la misma manera que hay eliminación, también hay adición. Debemos permitir que la vida de Dios opere, que se mueva en nosotros; siempre que esta vida se mueve, algo nos será eliminado y algo nos será añadido. Siempre que la vida de Dios se mueva en nosotros, morimos un poco más, y al mismo tiempo vivimos un poco más. A medida que la vida de Dios se extiende y elimina las cosas que no debe haber en nosotros, nos serán añadidas las cosas que sí debemos poseer. Cuanto más se elimina la muerte, más aumenta la vida. Espero que avancemos según el mover de la vida de Dios para que Su vida en nosotros pueda extenderse a todas las partes de nuestro ser, moviéndose sin impedimento a través de ellas, siempre eliminando algo y siempre añadiendo algo.

El gran poder del mover de la vida

Hebreos 8:7 dice: "Si aquel primero hubiera sido sin defecto, no se hubiera procurado lugar para el segundo". Hemos mencionado anteriormente que la razón por la que el primer pacto tenía defecto no era porque el pacto en sí mismo tuviese defecto, sino porque era débil cuando se aplicaba al hombre. El primer pacto compuesto por los mandamientos de letras estaba escrito sobre tablas de piedra. Sólo podía exigirle al hombre guardar la ley; no podía darle el poder para hacerlo. La razón por la que el nuevo pacto es un mejor pacto se debe a que por medio de él, la ley se imparte dentro del hombre; se inscribe sobre el corazón del hombre. La ley de vida del nuevo pacto puede hacer que el hombre obedezca la voluntad de Dios sin que necesite de la enseñanza del hombre. Este pacto le da la capacidad al hombre de conocer a Dios interiormente. Por tanto, decimos que el nuevo pacto es excesivamente glorioso y extremadamente precioso.

En el nuevo pacto, las leyes de Dios son puestas en las partes internas del hombre. Si la vida de Dios se mueve a cierta parte y no logra abrirse paso, estará obstaculizada y su fluir se detendrá allí; no podrá extenderse. Esto no significa que haya algo que el nuevo pacto no pueda hacer. No, el nuevo pacto puede hacer todas las cosas, porque el nuevo pacto significa que "con Dios todas las cosas son posibles". El nuevo pacto puede hacer todas las cosas debido a que el mover de esta vida es poderoso. Y este poder es el poder de la vida indestructible (He. 7:16). El enorme poder con que se mueve esta vida es el mismo poder que levantó al Señor Jesús de los muertos (Ef. 1:20). Este también es el poder por el que se mueve esta vida, la cual es capaz de hacer todas las cosas mucho más abundantemente de lo que pedimos o pensamos (Ef. 3:20). Ahora consideremos algunos ejemplos.

Puede hacer que el corazón del hombre se vuelva a Dios

En 2 Corintios 3:14-16 se nos dice que los corazones de los hijos de Israel se endurecieron, y que cuando leían el Antiguo Testamento había un velo sobre sus corazones. También nos dice que siempre que sus corazones se volvían al Señor, el velo era quitado. Esto muestra que el velo que tenían los israelitas era su duro corazón, un corazón que no deseaba al Señor. Siempre que sus corazones se volvían al Señor, el velo era quitado. Por tanto, cada vez que haya un velo dentro de nosotros, significa que hay un problema en nuestro corazón.

La pregunta entonces es: ¿cómo puede nuestro corazón volverse al Señor? Las Escrituras dicen que "como aguas que se reparten / es el corazón del rey en la mano de Jehová: / Él lo inclina hacia todo lo que quiere". (Pr. 21:1). Mientras estemos dispuestos a poner nuestro corazón en las manos de Dios, Él puede volvernos a Él.

Si estamos dispuestos a orar al Señor diciendo: "Señor, oro pidiéndote que inclines mi corazón a Tus testimonios, y no a la avaricia" (Sal. 119:36), Dios podrá volver nuestro corazón a Él. Si somos de aquellos que son verdaderamente salvos, cuyo corazón ha sido renovado, incluso si nos hubiésemos vuelto a otras cosas y nos volviéramos fríos; aun así, si nos diésemos cuenta claramente de que Dios tiene misericordia de nosotros, Su vida continuará moviéndose dentro de nosotros, hasta que un día nos llevará a decir en voz alta o en silencio: "Oh Dios, oro pidiéndote que vuelvas mi corazón a

Ti". Si cedemos tan solo un poco, la vida se extenderá aun más y aumentará más en nosotros. De esta manera nuestro corazón es avivado y se vuelve al Señor.

Permite al hombre obedecer a Dios

Filipenses 2:12-13 dice: "Como siempre habéis obedecido, no como en mi presencia solamente, sino mucho más ahora en mi ausencia, llevad a cabo vuestra salvación con temor y temblor". ¿Cómo podían ellos hacer esto? La respuesta le sigue: "Porque Dios es el que en vosotros realiza así el querer como el hacer, por Su beneplácito". Muchas veces, no sólo somos incapaces de obedecer a Dios, sino que no deseamos obedecer a Dios. Sin embargo, si realmente somos salvos y nuestro corazón ha sido conmovido, aun si reincidimos ocasionalmente y nuestro corazón se endurece, no obstante, interiormente conocemos la historia: Dios tiene misericordia de nosotros, Su vida aún se mueve en nosotros y, con el tiempo, seguirá moviéndose hasta que nuestro corazón tenga otra vez el deseo de obedecer a Dios. Entonces decidiremos obedecer a Dios, y también seremos capaces de obedecer a Dios. La razón es simplemente que la vida de Dios se ha movido hasta alcanzar nuestra parte emotiva y nuestra voluntad. Se ha extendido a tal grado que llegamos a ser capaces de obedecer a Dios.

Había cierta hermana cuya conciencia estaba bajo tal condenación que sentía que nunca más buscaría la voluntad de Dios y que nunca podría obedecer a Dios otra vez. Le parecía que todo lo que podía esperar era el veredicto del juicio de Dios, tan grande era su sufrimiento. Pero al mismo tiempo había una oración en su interior y le susurró a Dios: "Oh Dios, quizá no soy capaz de buscar Tu voluntad, pero aun así te pido que hagas que busque Tu voluntad. Aunque no puedo obedecerte, aun así te pido que hagas que te obedezca". Ésa fue una oración maravillosa. Filipenses 2:13 la sostuvo en ese día. Ella se dio cuenta de que si Dios no hubiera estado trabajando en su corazón, no habría surgido tal oración en ella. Puesto que era el mover de Dios lo que la había llevado a ofrecer tal oración, Dios también podría hacer que ella obedeciera Su voluntad, porque Su mover tiene como fin el cumplimiento de Su beneplácito. Cuando ella vio esto, fue avivada con gozo.

Permite que el hombre haga las obras que Dios ha preparado

Efesios 2:10 dice: "Somos Su obra maestra, creados en Cristo Jesús para buenas obras, las cuales Dios preparó de antemano para que anduviésemos en ellas". Esta obra fue realizada por Dios mismo en Cristo Jesús; y podemos decir que es la obra maestra de Dios. Una obra maestra es sencillamente la obra más excelente y fina en su género, lo mejor que se puede producir. No hay nada superior a una obra maestra. Dios no sólo ha salvado a Su pueblo, sino que en Cristo Jesús los ha hecho una obra maestra. Esto se ha logrado mediante la operación del poder de la vida de Dios en el hombre. Éste es un aspecto que caracteriza el nuevo pacto. Dios ha hecho que el hombre sea tal obra maestra, que Él mismo no podría mejorarla. Pero esta obra no fue hecha para que el hombre pudiese estar satisfecho de sí mismo, sino para que el propósito de Dios se pudiera cumplir; es decir, para que las buenas obras que Él preparó de antemano se puedan cumplir. ¡Qué norma tan elevada y maravillosa! Las buenas obras que Dios ha preparado para nosotros deben ser algo que Él considera buenas cosas. Únicamente lo que se origina del amor puede considerarse como las buenas obras que Dios considera buenas (Mt. 19:17). Toda buena obra que no tenga su origen en el amor, incluso repartir todos nuestros bienes para alimentar a los pobres o incluso dar nuestro cuerpo para que lo quemen por causa de otros, no es provechoso (1 Co. 13:3). Las buenas obras procedentes del amor no son las buenas obras comunes, sino las buenas obras que resultan de una vida de amor y que son hechas sobre la base del principio del amor. Las buenas obras que Dios ha preparado para que las hagamos, sólo se pueden cumplir y manifestar por medio de la vida de Dios. ¡Alabado sea Dios, Él nos ha salvado y ha puesto Su vida en nosotros! Es por medio del poder de esta vida que la obra maestra puede ser cumplida y que podemos hacer las buenas obras que Él ha preparado para nosotros. ¡Éste es el evangelio. Ésta es la gloria del nuevo pacto! ¡Aleluya!

Permite que el hombre
trabaje y luche

El apóstol Pablo dijo: "Su gracia para conmigo no ha sido en vano" (1 Co. 15:10). Sabemos que esto era verdad porque él trabajaba mucho más que todos los otros apóstoles. Sin embargo, él añade: "Pero no yo, sino la gracia de Dios conmigo". Él podía trabajar mucho más que otros no porque su cuerpo era más fuerte, ni porque era más diligente que otros, sino porque la gracia de Dios estaba con él. Además dice: "A quien anunciamos, amonestando a todo hombre, y enseñando a todo hombre en toda sabiduría, a fin de presentar perfecto en Cristo a todo hombre; para lo cual también trabajo, luchando según la operación de Él, la cual actúa en mí con poder" (Col. 1:28-29). La palabra que se tradujo "poder" en el versículo 29 también puede traducirse "poder explosivo". Es decir, la operación que Dios realizaba interiormente era un poder explosivo; por consiguiente, el trabajo que Pablo hacía exteriormente también era de un poder explosivo. El apóstol Pablo trabajaba porque en él había un poder explosivo, y no porque estuviera lleno de vigor. Este poder, que estallaba continuamente dentro de él, le permitía trabajar y luchar diligentemente a fin de presentar perfecto en Cristo a todo hombre delante de Dios. ¡Este poder explosivo es el poder de la operación de la vida de Dios! Es el poder de esta vida lo que nos permite trabajar diligentemente y luchar en nuestra labor.

Para trabajar mucho más que otros y para esforzarse o luchar se requiere tanto de la gracia interior como del poder de la vida interior. Esto indica que Dios nos concede Su gracia, no para que seamos de aquellos que aprecian la espiritualidad, ni para que disfrutemos de nuestra propia espiritualidad, sino para que podamos ser más diligentes, laborando y luchando más que los demás. Si alguno dice que es siervo del Señor, pero continúa amándose a sí mismo, es perezoso y no trabaja, entonces él no sólo es perezoso, sino que ciertamente también es malo (Mt. 25:26). El Señor condena esta clase de siervos. Por tanto, no debemos hablar de doctrinas vacías, sino que debemos poner los ojos en Dios a fin de expresar Su gracia en nuestro vivir y manifestar Su poder.

Permite que el hombre
tenga un servicio vivo y fresco

Antes de considerar cómo esta vida hace que nuestro servicio sea vivo y fresco, leamos tres pasajes. El primero es 2 Corintios 3:5-6: "No que seamos competentes por nosotros mismos para considerar algo como de nosotros mismos, sino que nuestra competencia proviene de Dios, el cual asimismo nos hizo ministros competentes de un nuevo pacto, ministros no de la letra, sino del Espíritu; porque la letra mata, mas el Espíritu vivifica".

El segundo pasaje es Romanos 7:6: "Pero ahora estamos libres de la ley, por haber muerto a aquella en que estábamos sujetos, de modo que sirvamos en la novedad del espíritu y no en la vejez de la letra".

El tercer pasaje es Romanos 2:28-29: "No es judío el que lo es exteriormente, ni la circuncisión la que lo es en lo exterior, en la carne; sino que es judío el que lo es interiormente, y la circuncisión es la del corazón, en espíritu, no en letra; la alabanza del cual no viene de los hombres, sino de Dios".

Estos tres pasajes de las Escrituras nos muestran que existe una gran diferencia entre el servicio del nuevo pacto y el del viejo pacto. El servicio del viejo pacto era el de la letra, pero el servicio del nuevo es el del espíritu. El servicio del viejo pacto era viejo, pero el servicio del nuevo pacto es fresco. El servicio del viejo pacto daba muerte, pero el servicio del nuevo pacto da vida. Es decir, el servicio del viejo pacto era según la letra escrita, mandamiento tras mandamiento; era un servicio según la formalidad. Sin embargo, el servicio en el nuevo pacto es según el Espíritu. En el nuevo pacto el Espíritu le dicta al hombre cómo debe actuar, y él debe actuar de acuerdo a ello, el Espíritu le dicta al hombre cómo debe hablar, y él habla de acuerdo a ello; el Espíritu le dice al hombre cómo orar, y él ora de esa manera.

Podemos decir que el servicio del viejo pacto era algo externo, mientras que el servicio del nuevo pacto es algo interno. El servicio "de la letra" en el viejo pacto resultaba sólo en muerte, mientras que el servicio "del espíritu" en el nuevo pacto resulta en vida para el hombre. Es decir, el servicio que es por "la letra" es muerte y también es viejo, mientras que el servicio que se basa en un vivir que está "en Cristo" es un servicio vivo. El servicio que es según "la letra" es viejo, pero el servicio que es el resultado de vivir "en Cristo" es fresco. El servicio que es según "la letra" es sólo en letra, pero el servicio que es el resultado de vivir "en Cristo" es espiritual. Podemos decir entonces que cualquier clase de servicio que se realice externamente, que es según la letra y en vejez, es el servicio del viejo pacto, pero cualquier servicio que es interno, que es según el espíritu y en novedad, es el servicio del nuevo pacto. Todo servicio que sea el resultado de una representación o imitación de algo externo no es el servicio del nuevo pacto. En el nuevo pacto, el servicio es el resultado de tener una relación con Cristo y se lleva a cabo de manera interna. El servicio del nuevo pacto es espiritual, proviene de revelación y se realiza en novedad. Además, el servicio del nuevo pacto proviene de Dios, y se realiza por medio de Dios y es para Dios (Ro. 11:36). La fuerza de este servicio proviene de Dios, el curso del servicio es por medio de Él, y el resultado del servicio es para Él. Éste es el servicio espiritual. Éste es un servicio vivo y éste es el servicio del nuevo pacto.

Pablo nos dice: "No que seamos competentes por nosotros mismos para considerar algo como de nosotros mismos, sino que nuestra competencia proviene de Dios, el cual asimismo nos hizo ministros competentes de un nuevo pacto" (2 Co. 3:5-6). Dios había estado operando en ellos a tal grado que fueron capacitados para ser ministros del nuevo pacto, o sea que llegaron a ser los siervos bajo el nuevo pacto. Pablo también dijo: "Del cual yo fui hecho ministro por el don de la gracia de Dios que me ha sido dado según la operación de Su poder" (Ef. 3:7). Pablo dijo claramente que él había sido hecho ministro del evangelio por el don de la gracia de Dios. Este don no consistía en hablar en lenguas, tener visiones, hacer milagros, prodigios, sanidades o echar fuera a demonios, aunque Pablo tenía todos estos dones (véase 1 Co. 14:18; Hch. 13:9-11; 14:8-10; 16:9, 16-18; 18:9). Este don tampoco consistía en manifestar excelencia de palabras o de sabiduría (1 Co. 2:1), ni fue algo que súbitamente bajó del cielo. Pablo dice claramente que este don le había sido dado según la operación del poder de Dios. No era un don milagroso, sino un don de gracia. Fue el resultado del poder de la operación de Dios en Pablo. Este don le permitió a Pablo "anunciar a los gentiles el evangelio de las inescrutables riquezas de Cristo, y de alumbrar a todos para que vean cuál es la economía del misterio escondido desde los siglos en Dios, que creó todas las cosas" (Ef. 3:8-9). ¡Este don es maravilloso! Este don maravilloso le fue dado a Pablo según el poder de la operación de Dios.

Cristo es formado en nosotros, la transformación y ser conformados a Él

Cuando permitimos que la ley de vida se mueva en nosotros sin impedimento, ésta se desarrollará hasta llegar a un estado donde Cristo puede ser formado en nosotros (Gá. 4:19). Cuando Cristo se ha formado gradualmente en nosotros, seremos transformados (2 Co. 3:18). La transformación tiene como meta hacernos tal como Él es (1 Jn. 3:2). El hecho de que Cristo sea formado en nosotros y la obra de la vida de Dios en nosotros, no son dos cosas separadas. La medida en que la vida de Dios se ha mezclado con nosotros determina cuánto será formado Cristo en nosotros, y en esa medida seremos transformados.

La medida en que un hombre sea lleno de la vida de Cristo, viva a Cristo y exprese a Cristo depende del grado al que ha sido conformado a la imagen del Hijo de Dios, como se menciona en Romanos 8:29. Ésta era la aspiración de Pablo, y ésta fue su experiencia (véase Fil. 3:10; 1:20). Ésta también puede ser nuestra experiencia hoy y debe ser la búsqueda de todos los hijos de Dios. En cuanto a ser completamente semejantes a Él, debemos esperar hasta que el Señor se manifieste (1 Jn. 3:2). Esto será en el día de la redención de nuestro cuerpo (Ef. 1:14; 4:30; Ro. 8:23); en ese tiempo seremos completamente iguales a Él.

Cristo es formado en nosotros

Un ejemplo sencillo nos ayudará a ver lo que significa que Cristo sea formado en nosotros. Dentro de un huevo está la vida de una gallina; sin embargo, si durante los primeros días de incubación usted mira a través del huevo usando cierta luz, usted no podría discernir la cabeza de las patas. Cuando el pollo está casi listo para romper el cascarón y salirse, entonces usted podrá ver la forma completa del pollo. En ese entonces podemos decir que dentro del huevo se estaba formando un pollo. De igual manera, la vida de Cristo en los cristianos inmaduros no está bien formada. Sólo está formada en cristianos que han alcanzado la madurez en vida. La vida de Cristo es completa, pero se haya restringida en nosotros. Por lo tanto, Cristo aún no se ha formado completamente en nosotros. Esto significa que el crecimiento en vida está obstaculizado.

Pablo volvía a sufrir dolores de parto por los creyentes gálatas, hasta que Cristo fuera formado en ellos (Gá. 4:19). Aquí podemos ver cuán importante era que Cristo fuese formado en ellos. Pablo no estaba hablando palabras sin peso, ni tampoco tenía lástima de sí mismo. Él había vuelto a sufrir "dolores de parto", lo cual requiere de tiempo, amor, intercesión, lágrimas y una esperanza diaria. ¿Cuántos de los hijos de Dios hoy tienen a Cristo formado en ellos? ¿A cuántos de los que sirven al Señor les importa la condición espiritual de los hijos de Dios y sufren la labor dolorosa de dar a luz espiritualmente? Oh, cuando hablamos de esto nos arrepentimos, nos lamentamos y lloramos, y no sólo porque nosotros mismos estamos en una situación tan miserable, sino incluso porque nuestro amor es tan inadecuado aun hacia algunos de los hijos de Dios.

Algunos hijos de Dios son inmaduros y anormales. Otros incluso retroceden y caen. ¿Podemos echarles toda la culpa de su pobre situación? ¿Podemos estar tranquilos y seguir adelante día tras día sin compadecernos de ellos y sin orar por ellos? Debemos decir: "Oh Dios, perdónanos y ten misericordia de nosotros. Concédenos el tiempo para aprender y tener las debidas experiencias. Concédenos el tiempo para volver a sufrir dolores de parto por aquellos que son semejantes a los creyentes gálatas".

La transformación

Según Romanos 12:1-2 hay dos requisitos para experimentar la transformación: uno es presentar nuestros cuerpos; el otro es la renovación de nuestra mente. Presentar nuestro cuerpo es algo que se puede comparar con la regeneración. Esto ocurre una vez y para siempre, mientras que la transformación es un proceso y es algo gradual.

Consideremos ahora específicamente la relación que existe entre la mente y la transformación. Romanos 12:2 dice: "Transformaos por medio de la renovación de vuestra mente". Efesios 4:23 dice: "Os renovéis en el espíritu de vuestra mente". Ambos versículos se refieren a la relación que existe entre la renovación de la mente y la transformación. La obra que efectúa el Espíritu Santo siempre se lleva a cabo desde el centro hasta la circunferencia. Por lo tanto, el espíritu, que se relaciona específicamente con la mente, debe ser renovado primero; luego la mente debe ser renovada; finalmente, el comportamiento del hombre cambiará gradualmente.

El arrepentimiento implica un cambio en la manera de pensar, significa que nuestros ojos han sido abiertos. Cuando nuestra mente es renovada, eso simplemente significa que nuestros ojos han sido alumbrados. Cuanto más es renovada nuestra mente, más somos transformados. Día tras día, mediante la luz de la vida, Dios hace que nos conozcamos a nosotros mismos, que nos repudiemos a nosotros mismos, que conozcamos la realidad de la vida interior, y que en nuestra manera de vivir tengamos la experiencia de despojarnos del viejo hombre y de vestirnos del nuevo. Todo esto es con relación a nuestra experiencia subjetiva. Pero en el aspecto objetivo, todos los cristianos, en cuanto a su pasada manera de vivir, ya se han despojado del viejo hombre y también se han vestido del nuevo hombre (Ef. 4:22, 24; Col. 3:10). Todos estos son los hechos que Cristo ha realizado.

Debemos darnos cuenta de que la transformación no es como la regeneración. La regeneración es algo que sucede una vez por todas, pero la transformación es un proceso gradual y diario. Debemos preguntarnos lo siguiente: ¿hasta qué punto he experimentado la transformación? Si no ha habido ningún cambio en nosotros desde que llegamos a ser cristianos, si aún nos amamos a nosotros mismos, tenemos lástima de nosotros mismos, somos egoístas, somos orgullosos, exaltamos al yo y estamos ocupados con muchas preocupaciones y dudas; entonces, debemos preguntarnos si realmente nos hemos encontrado con la luz. Si a medida que seguimos adelante nos volvemos más fríos, más endurecidos, más orgullosos, más jactanciosos, más frívolos y rebeldes, entonces quiere decir que nuestro corazón o nuestra mente padece alguna enfermedad. Si éste es el caso, debemos humillarnos y comenzar de nuevo tomando medidas con nuestro corazón. Necesitamos pedirle al Señor que tenga misericordia de nosotros, a fin de que Él nos ilumine y nos dé fuerzas para eliminar cualquier pecado y todo aspecto del yo que esté impidiendo el mover de la ley de vida. El Espíritu Santo dice: "Si oís hoy Su voz, no endurezcáis vuestros corazones" (He. 3:7-8). Que el Señor tenga misericordia de nosotros a fin de que nuestro corazón se ablande ante Él. Al mismo tiempo, necesitamos creer lo que nos dice Filipenses 2:13: "Dios es el que en vosotros realiza así el querer como el hacer, por Su beneplácito". Ésta es la característica del nuevo pacto. Ésta también es la gloria del nuevo pacto. ¡Tenemos que alabar a Dios!

La transformación y la conformación

La conformación de la que se habla en Romanos 8:29 y Filipenses 3:10 en el texto original significa ser hecho de una misma forma y naturaleza, o ser semejantes. Esta palabra griega se usa sólo tres veces en el Nuevo Testamento: en Romanos 8:29, en Filipenses 3:21 donde se usa como adjetivo, y en Filipenses 3:10, donde se usa como verbo.

¿Cuál es la diferencia que existe entre ser transformado y ser conformado? La transformación habla de un proceso, mientras que la conformación habla de la obra consumada. La transformación significa que la vida del Señor crece gradualmente en nosotros y hace que seamos iguales al Señor. La conformación significa que hemos sido transformados completamente y, por ende, somos iguales al Señor en forma y naturaleza. Ser conformado se puede comparar con algo que fue tomado de un molde. Cuando un forjador pone bronce derretido en un molde, el bronce será conformado a la forma del molde. También esto es semejante a cuando alguien hace un pastel y debe poner la masa en un molde. Como resultado,

el pastel adquiere la misma forma del molde. Nuestra semejanza al Señor será una semejanza que llegue a este grado.
Romanos 8:29 dice: "Para que fuesen hechos conformes a la
imagen de Su Hijo". Esto significa que nuestra imagen será
la misma que la de la humanidad glorificada del Señor. Si una
persona desea ser transformada y conformada a la imagen del
prototipo que Dios ha ordenado, debe experimentar un cambio
en su naturaleza interior. La vida de Dios debe entrar en su
espíritu y debe impregnar todo su ser hasta que su naturaleza
haya cambiado totalmente. Por consiguiente, su imagen habrá
sido completamente conformada. Así, el Espíritu del Señor
opera gradualmente, de gloria en gloria (2 Co. 3:17-18). ¡Alabado sea el Señor por tal obra!

Ahora debemos tratar nuevamente el asunto del corazón.
En 2 Corintios 3:18 dice: "Nosotros todos, a cara descubierta
mirando y reflejando como un espejo la gloria del Señor,
somos transformados de gloria en gloria en la misma imagen,
como por el Señor Espíritu". Aquí se usa un espejo como ejemplo. Un espejo sólo puede reflejar el objeto que está delante de
él. De la misma manera, en nuestra vida diaria, cuanto más
vemos a Cristo, más reflejaremos a Cristo. Tener una cara
descubierta significa que nuestra cara no está cubierta por
ningún velo; por eso podemos ver a Cristo de manera perfecta.
Si tenemos un velo sobre nuestra cara, no veremos a Cristo
en absoluto o sólo lo veremos parcialmente. Si estudiamos
2 Corintios 3:12-16 detenidamente, podremos notar que el velo
se debía a que su corazón no deseaba al Señor. En el pasado, el
rostro de Moisés resplandecía porque Dios le había hablado,
pero como los israelitas temían la luz del resplandor de su rostro, ellos titubeaban en acercarse a él. Por lo tanto, cuando
Moisés entraba en la presencia de Dios, él se quitaba el velo,
pero cuando salía, usaba el velo para cubrir su rostro otra vez
(Éx. 34:29-35). El velo que cubría la cara de Moisés nos habla
de la condición de los hijos de Israel, es decir, que sus corazones estaban lejos de Dios. Más adelante, los israelitas otra
vez cayeron en la misma condición; tenían temor de la luz.
No deseaban la luz. El velo que estaba sobre su corazón
aún no había sido quitado; por ello, cuando leían el Antiguo
Testamento no podían entenderlo. El versículo 16 dice muy

claramente que siempre que su corazón se volvía al Señor el velo era quitado. Ésta es la clave de la cual depende que veamos claramente al Señor o no. Si nuestro corazón se vuelve a otras cosas, sería lo mismo que si estuviera cubierto con un velo y, naturalmente nuestra vida será como si estuviésemos bajo una luz tenue que reflejará a Cristo de forma incompleta. Eso es un problema del corazón, un problema con el espejo. Siempre que sintamos que hay una barrera, un velo, entre el Señor y nosotros, nuestro corazón necesita volverse de nuevo al Señor. Cuando nuestro corazón se vuelve al Señor podemos ver con claridad y también la reflexión es clara.

Ser como Él

Ya hemos dicho que la meta de la transformación es hacernos iguales a Él, pero para ser completamente semejantes a Él debemos esperar hasta que el Señor se manifieste. Ése será el tiempo de la redención de nuestro cuerpo. Entonces seremos completamente iguales a Él. Por esta razón, también debemos decir algunas palabras acerca de la redención de nuestro cuerpo. Hemos visto que cuando Adán cayó, su espíritu murió primero; el hombre llegó a estar totalmente controlado por el alma y estaba completamente en la carne. Después, su cuerpo también murió (Gn. 5:5; Ro. 8:11). Esto significa que la muerte que ocurrió en el espíritu finalmente alcanzó al cuerpo.

Cuando el hombre es regenerado, primeramente su espíritu es vivificado. Luego mediante la obra de la cruz, el Espíritu Santo hace morir las prácticas malignas de nuestro cuerpo (Ro. 8:13; Col. 3:5), al hacer que nos neguemos a nosotros mismos diariamente (Lc. 9:23). Además, por la operación de la vida en nosotros de día en día, estamos siendo cambiados cada vez más tanto de naturaleza como de forma, hasta ser conformados a la imagen del Hijo de Dios. Finalmente, el día en que el Señor sea manifestado, "seremos semejantes a Él, porque le veremos tal como Él es" (1 Jn. 3:2). Esto se refiere a la redención del cuerpo la cual Pablo aguardaba con anhelo (Ro. 8:23). Este asunto también se menciona en Filipenses 3:21, donde Pablo dice que el Señor Jesús "transfigurará el cuerpo de la humillación nuestra, para que sea conformado al cuerpo de la gloria Suya, según la operación de Su poder, con la cual sujeta también a Sí mismo todas las cosas".

Estos versículos nos muestran que la salvación de Dios comienza cuando nuestro espíritu es vivificado y finalizará cuando se efectúe la redención de nuestro cuerpo. La palabra "viviréis" mencionada en Romanos 8:13 se refiere a la experiencia diaria de vivir en el cuerpo. No se refiere a la redención de nuestro cuerpo. Las Escrituras nos dicen que la resurrección y la transformación son un misterio (1 Co. 15:51-52). La redención de nuestro cuerpo, mediante la cual éste será hecho igual que el cuerpo glorioso del Señor, también es excesivamente gloriosa. El apóstol Juan confiaba en que esto se cumpliría algún día. Por esto, él dijo que cuando el Señor se manifieste, seremos semejantes a Él, porque le veremos tal como Él es. Ésta es la característica del nuevo pacto. ¡Ésta también es la gloria del nuevo pacto! Hermanos y hermanas, no tardemos demasiado en creer.

Ser purificados

Si bien la redención del cuerpo es expresamente un asunto de la gracia de Dios, después de que el apóstol Juan dijo que seremos semejantes a Él y que le veremos tal como Él es, él agregó de inmediato: "Todo aquel que tiene esta esperanza en Él, se purifica a sí mismo, así como Él es puro" (1 Jn. 3:3).

El contexto de "esta esperanza" alude a las palabras "seremos semejantes a Él". La purificación aquí en este versículo es diferente de ser limpios. Ser limpios significa no tener contaminación, pero la purificación no sólo significa no tener contaminación, sino también no tener mezcla. Somos purificados mediante el resplandor de la luz de la vida que ilumina nuestro interior (Jn. 1:4); de ese modo podremos conocernos a nosotros mismos (Sal. 36:9) y eliminar todo lo que no le agrade a Dios.

Somos aquellos que tienen la naturaleza de Dios; por tanto, en conformidad con la naturaleza de la vida de Dios, estamos conscientes de que no sólo debemos tratar con el pecado, sino con todo lo que procede de nosotros mismos y todo lo que no sea la voluntad de Dios. Esto es lo que significa que seamos purificados. No obstante, hay una purificación incluso más profunda que ésta. Un hermano que aprendió muchas lecciones en el Señor hablaba de la purificación de esta manera: "El peligro de la espiritualidad es que experimentamos la victoria y la santificación, somos productivos en nuestra obra, y poseemos los dones espirituales y la justicia que proceden de la vida [...] Tener una purificación más profunda implica que no debemos permitir que nada permanezca, incluso aquello que provino de la revelación de Dios o aquello que resultó de la vida de resurrección de Cristo. Hay un proceso de metabolismo en cuanto al crecimiento en vida [...] Esto significa que todo lo que procede de la vida de resurrección nunca se perderá; siempre se mantendrá fresco. Sin embargo, debemos mantenerlo en la novedad del Espíritu Santo y no sólo acordarnos de ello. Aquello que tiene su fuente en la vida de resurrección no sufrirá pérdida; antes bien, permanecerá en nosotros para siempre; será parte de nuestra propia vida y será forjada en nuestro ser. Siempre que necesitemos de ese asunto en particular, sólo debemos tomarlo en el Espíritu Santo. Entonces nos será tan fresco y viviente como si recién lo hubiéramos visto".

Estas palabras no son fáciles de entender, aunque sí demandan una respuesta de nuestra parte. Hermanos y hermanas, si tenemos "esta esperanza en Él", nos diremos a nosotros mismos lo que el apóstol Juan dijo: "Todo aquel que tiene esta esperanza en Él, se purifica a sí mismo", y entonces nos levantaremos y andaremos según el resplandor del Espíritu Santo.

Dios desea ser Dios en la ley de vida

El mover continuo de la vida de Dios en nosotros tiene un gran propósito. En la segunda parte de Hebreos 8:10 dice: "Seré a ellos por Dios, y ellos me serán a Mí por pueblo". Esto nos habla de lo que yace en el corazón de Dios y de cuál ha sido Su propósito de la eternidad a la eternidad. Dios desea ser nuestro Dios, y nosotros necesitamos ser Su pueblo según la ley de vida. Esto es algo real y tan maravilloso. Ahora veamos en las Escrituras cuán importante es este asunto en el universo.

El propósito eterno De Dios

¿Qué es lo que Dios se propone tener en el universo? En Génesis 2 vemos que después de que Dios creó al hombre, Él le indicó al hombre que debía ejercitar su libre albedrío a fin de elegir la vida de Dios. Sin embargo, no nos dice lo que Dios se había propuesto obtener en el universo. Génesis 3 nos habla de la caída del hombre, pero no nos dice cuál era realmente la intención del diablo. No fue sino hasta que Dios condujo a los israelitas fuera de Egipto y los trajo al monte de Sinaí, donde les declaró los Diez Mandamientos, que Él nos reveló lo que estaba en Su corazón. No fue sino hasta que el Señor Jesús fue tentado en el desierto que Él nos reveló lo que realmente buscaba el diablo, y no fue sino hasta que el Señor oró la oración que les enseñó a Sus discípulos, que habló claramente de nuevo el deseo verdadero que Dios tenía.

El primero de los Diez Mandamientos es: "No tendrás dioses ajenos delante de Mí". El segundo es: "No te harás imagen ni ninguna semejanza de lo que esté arriba en el cielo, ni abajo en la tierra, ni en las aguas debajo de la tierra. No te inclinarás a ellas ni las honrarás, porque Yo soy Jehová, tu Dios, fuerte, celoso". El tercer mandamiento es: "No tomarás el nombre de Jehová, tu Dios, en vano". El cuarto es: "Acuérdate del Sábado para santificarlo" (Éx. 20:3-8).

En estos cuatro mandamientos Dios reveló Su voluntad y claramente reveló cuáles eran Sus requisitos formales para el hombre. Aquí, Él habló claramente del propósito de Su creación y del propósito de Su redención. El propósito es simplemente que Dios desea ser Dios. Dios es Dios y, como tal, Él desea ser Dios entre los hombres.

En el Nuevo Testamento hay una gran revelación que es análoga a la revelación que Dios dio en el monte de Sinaí. Ésta es la tentación del Señor en el desierto. Los libros de Ezequiel y de Isaías nos hablan claramente acerca del querubín que Dios había hecho, el cual más tarde se exaltó a sí mismo a fin de llegar a ser igual a Dios. Él se rebeló contra Dios, fue juzgado por Dios (Ez. 28:8, 12-19; Is. 14:12-15) y se convirtió en el diablo. Sin embargo, este asunto no fue revelado tan claramente como lo vemos en los Evangelios, donde el diablo hizo clara su oferta para usurpar la posición de Dios. Cuando tentó al Señor su argumento más fuerte fue: "Si postrándote me adoras", pero sin vacilar el Señor le reprendió diciendo: "¡Vete, Satanás!". Luego el Señor declaró solemnemente: "Al Señor tu Dios adorarás, y a Él solo servirás" (Mt. 4:9-10). ¡Oh, únicamente Dios es Dios!

En el Nuevo Testamento, la oración que el Señor les enseñó a Sus discípulos constituyó también una gran revelación. En esta misma oración, Él también revela la voluntad de Dios: Dios quiere ser Dios. El Señor dijo: "Vosotros, pues, oraréis así: Padre nuestro que estás en los cielos, santificado sea Tu nombre" (Mt. 6:9). En los cielos, el nombre de Dios sólo puede ser usado por Dios, pero en la tierra hay personas que toman Su nombre en vano, y aun así, Él se esconde como si no existiera. Sin embargo, un día nuestro Señor les enseñó a Sus discípulos a orar: "Padre nuestro que estás en los cielos, santificado sea Tu nombre". El Señor desea que nosotros oremos así, pues Su propósito es que declaremos que sólo Él es Dios. Los demás no lo son. Tenemos que gloriarnos en Su nombre santo como lo hizo el salmista (Sal. 105:3). Necesitamos decir: "¡Jehová, Señor nuestro, cuán excelente [heb.] es Tu nombre en toda la tierra!" (8:1). ¡Oh Dios, que la alabanza sea perfeccionada "de la boca de los pequeños y de los que maman"! (Mt. 21:16).

Dios desea morar entre los hijos de Israel como el Dios de ellos

Aunque Dios es Dios, el hecho maravilloso es que Él desea morar entre los hombres. Dios le ordenó a Moisés que le edificara un santuario, diciéndole claramente: "Habitaré en medio de ellos" (Éx. 25:8). Él le dijo otra vez: "Yo habitaré entre los hijos de Israel y seré su Dios. Así conocerán que Yo soy Jehová, su Dios, que los saqué de la tierra de Egipto para habitar en medio de ellos. Yo, Jehová, su Dios" (29:45-46). Dios quería que Moisés les dijera a los hijos de Israel claramente que Él era Jehová su Dios que los sacó de la tierra de Egipto, a fin de darles la tierra de Canaán y ser el Dios de ellos (Lv. 25:38). Levítico 26:12 es aun más claro: "Andaré entre vosotros: seré vuestro Dios, y vosotros seréis Mi pueblo". ¡Dios es Dios! ¡Él es altísimo y grandioso! Sin embargo, Él viene a morar entre los hombres para ser el Dios de ellos.

El Verbo se hizo carne
y fijó tabernáculo entre los hombres,
a fin de dar a conocer a Dios

Cuando el Verbo se hizo carne, y fijó tabernáculo entre nosotros (Jn. 1:14), este Verbo de vida que era desde el principio fue oído, visto y palpado por el hombre (1 Jn. 1:1). "A Dios nadie le vio jamás", pero ahora "el unigénito Hijo, que está en el seno del Padre, Él le ha dado a conocer" (Jn. 1:18). Éste es Emanuel, Dios con nosotros (Mt. 1:23).

Dios mora en la iglesia como Dios

Cuando la iglesia fue edificada como casa espiritual (1 P. 2:5), llegó a ser la morada de Dios en el espíritu (Ef. 2:22). Éste es un asunto sumamente misterioso y glorioso. Cuando el Verbo se hizo carne y fijó tabernáculo entre los hombres, Él estaba limitado por el espacio y el tiempo, pero cuando Dios mora en la iglesia en espíritu, Él no está limitado por el tiempo ni el espacio. ¡Aleluya!

En la era del reino
Dios será el Dios de la casa de Israel

Aunque en los tiempos del viejo pacto el pueblo de Israel abandonó a Dios, en el futuro Dios hará un nuevo pacto con ellos. En el futuro Él pondrá Sus leyes en sus mentes y las escribirá sobre sus corazones, de modo que Él pueda ser el Dios de ellos (He. 8:10).

En la eternidad futura
Dios morará entre los hombres como Dios

Un día el tabernáculo de Dios estará con los hombres: "Él fijará Su tabernáculo con ellos; y ellos serán Sus pueblos, y Dios mismo estará con ellos" (Ap. 21:3). ¡Esto es lo más maravilloso! "Enjugará Dios toda lágrima de los ojos de ellos; y ya no habrá muerte, ni habrá más duelo, ni clamor, ni dolor; porque las primeras cosas pasaron" (v. 4). En ese entonces,

Dios y el hombre, el hombre y Dios, nunca más se separarán. ¡Aleluya!

Dios como Padre y Dios como Dios

En el día de la resurrección Jesús le dijo a María la Magdalena: "Ve a Mis hermanos, y diles: Subo a Mi Padre y a vuestro Padre, a Mi Dios y a vuestro Dios" (Jn. 20:17). Este versículo nos dice que no sólo tenemos un Padre, sino también un Dios. La diferencia entre tener a Dios como Padre y a Dios como Dios, según se muestra en las Escrituras, es que al considerar a Dios como Padre nos habla de la relación que Él tiene con individuos, mientras que considerar a Dios como Dios indica la relación que Él tiene con todo el universo. Tener a Dios como nuestro Padre es un asunto de vida, indicando que estamos relacionados con Él, como un hijo se relaciona con un padre; mientras que tener a Dios como Dios es un asunto de posición, que nos muestra que Él es el Creador.

Cuando conocemos a Dios como el Padre, nos atreveremos a arrojarnos sobre Su regazo, y cuando conocemos a Dios como Dios, debemos postrarnos y adorarle. Somos los hijos de Dios, viviendo en Su amor y disfrutando con gozo de todo lo que Él nos da. También somos Su pueblo, estando firmes en nuestra posición como hombres, adorándole y alabándole. Puesto que Dios es Dios, debemos adorarle en la hermosura de la santidad (Sal. 29:2) y en reverencia (5:7). Toda persona que conoce a Dios como Dios en todas las cosas no puede más que temerle y prestar atención a tales asuntos como su atuendo y comportamiento. Pero toda persona que es frívola, descuidada, arrogante, hace lo que le place y permite que el pecado permanezca, es alguien que no conoce a Dios como Dios.

Sabemos que "no hay cosa creada que no sea manifiesta en Su presencia; antes bien todas las cosas están desnudas y expuestas a los ojos de Aquel a quien tenemos que dar cuenta" (He. 4:13). Por tanto: "No participéis en las obras infructuosas de las tinieblas, sino más bien reprendedlas; porque vergonzoso es aun hablar de lo que ellos hacen en secreto" (Ef. 5:11-12).

Si un hombre teme exponer algo a Dios, a eso se le llama tinieblas. Cualquier cosa que el hombre no se atreva a decirle a Dios es una vergüenza. Pablo dijo: "Conociendo, pues, el temor del Señor, persuadimos a los hombres" (2 Co. 5:11). No nos atrevemos a hacer nada excepto temerle al Señor y persuadir a los hombres, diciéndoles que a menos que se arrepientan o sean salvos, deberían saber que "nuestro Dios es fuego consumidor" (He. 12:29). Si el hombre no toma medidas serias con todos los pecados que cometió y los cuales debe afrontar, un día él caerá en las manos del Dios vivo. Eso será una experiencia terrible (10:31). ¿Usted piensa que Dios está durmiendo porque se esconde temporalmente? Dios es paciente y tolerante, esperando a que uno se arrepienta. ¿Usted piensa que Él puede ser burlado? Las Escrituras nos dicen que: "Dios no puede ser burlado" (Gá. 6:7). Hermanos y hermanas, debemos temerle a Dios.

Si usted conoce que Dios es Dios, usted deseará ser un hombre. La caída nos infectó con el deseo de ser Dios, pero la salvación inculca de nuevo en nosotros el deseo de ser hombres. El principio característico del huerto de Edén era que después de que el hombre comiese del fruto del árbol del conocimiento del bien y del mal, habría de ser como Dios (Gn. 3:5), pero el principio característico del Gólgota es restituirnos a nuestra posición como hombres. Así que, si conocemos a Dios como Dios, estaremos firmes en nuestra posición como hombres. Nuestro Señor nació como un hombre en la casa de un carpintero (Mt. 13:55). Como un hombre se sometió al bautismo de Juan el Bautista (3:13-16). Tres veces en Su posición como hombre rechazó la tentación del diablo (4:1-10). También como hombre sufrió y fue puesto a prueba (He. 2:18). Como un hombre se burlaron de Él cuando estaba en la cruz, mas Él no descendió (Mt. 27:42-44). Si el Señor mismo tomó Su posición como hombre, ¿qué tal nosotros?

Los veinticuatro ancianos que vemos en Apocalipsis 4:4 son los ancianos de todo el universo. (Los veinticuatro ancianos ya tienen coronas; están sentados sobre los tronos, y tienen el número "veinticuatro", que no es el número de la iglesia. Por tanto, deben ser los ancianos de todo el universo, que representan a los ángeles que Dios creó y son los ancianos entre los ángeles). Puesto que conocen a Dios como el Dios de la creación, le adoran y dicen: "Digno eres Tú, Señor y Dios nuestro, de recibir la gloria y la honra y el poder; porque Tú creaste todas las cosas, y por Tu voluntad existen y fueron creadas" (Ap. 4:11). Cuando finalmente lleguen a la fiesta de las bodas del Cordero, ellos aún se postrarán y adorarán a Dios que está sentado en el trono (19:4).

Cuando aquel ángel vuele por los aires, predicando el evangelio eterno a los hombres de la tierra, dirá: "Temed a Dios, y dadle gloria, porque la hora de Su juicio ha llegado; y adorad a Aquel que hizo el cielo y la tierra, el mar y las fuentes de las aguas" (14:6-7). Esto indica que si conocemos a Dios como Dios y Creador, nosotros le adoraremos.

Cualquier persona que conoce a Dios como Dios y toma la posición de esclavo, le adorará (22:9). Ciertamente él "que se sienta en el templo de Dios, proclamándose Dios", es aquel que se opone al Señor (2 Ts. 2:4). El que sea capaz de hacer señales y engañar a las personas en la tierra, diciéndoles que adoren a la bestia (Ap. 13:14-15), es ciertamente el falso Cristo (Mt. 24:23-24). Todo aquel que conoce a Dios como Dios, le adorará. Esto es lo que glorifica a Dios.

Dios como Dios en la ley de vida

Ahora debemos ver que Dios ha impartido Su ley en nuestra mente y la ha escrito sobre nuestro corazón con el propósito de que Él pueda ser nuestro Dios en la ley de vida y que nosotros podamos ser Su pueblo en la ley de vida. La segunda mitad de Hebreos 8:10 continúa de inmediato el pensamiento que le precede. No dice allí que Dios desea ser nuestro Dios que está sentado en el trono. Más bien dice que Dios desea ser nuestro Dios en la ley de vida y que Él desea que seamos Su pueblo en la ley de vida. Nosotros y Dios, Dios y nosotros, tenemos una relación en la ley de vida. A menos que estemos en la ley de vida, no podremos tener contacto con Dios. Si vivimos en la ley de vida, seremos el pueblo de Dios y Dios será nuestro Dios. La única manera de acercarnos a Dios, servirle y adorarle, es contactar a Dios mediante la ley de vida.

¿A qué se debe que Dios llega a ser nuestro Dios y nosotros llegamos a ser Su pueblo en la ley de vida? Para explicar esto necesitamos considerar otra vez la creación del hombre y su nuevo nacimiento. Puesto que Dios es Espíritu, todo aquel que desee tener comunión con Él debe tener un espíritu. Cuando Dios hizo a Adán, había un elemento en él que era igual al de Dios. Ese elemento que estaba en el hombre era el espíritu. Cuando Adán cayó y se alejó de la vida de Dios, su espíritu murió para con Dios. Sin embargo, debido a la redención que Dios efectúa, cuando el hombre se arrepiente y cree, no sólo su espíritu es vivificado, sino que también recibe la vida increada de Dios. Por medio del Espíritu Santo, Dios entra en nosotros y mora en nosotros, y a partir de ese momento podemos adorar a Dios en espíritu y en realidad. Juan 4:23-24 es muy claro. El versículo 24 dice: "Dios es Espíritu; y los que le adoran, en espíritu y con veracidad es necesario que adoren". Esto significa que sólo aquel elemento en el hombre que es igual al de Dios, puede adorar a Dios. Sólo el espíritu puede adorar al Espíritu. Sólo la adoración que se lleva a cabo en el espíritu es la verdadera adoración. En esta clase de adoración no podemos usar nuestra mente; ni podemos usar nuestra parte emotiva ni nuestra voluntad. Esta adoración es hecha en espíritu y con veracidad. El versículo 23 dice: "Los verdaderos adoradores adorarán al Padre en espíritu y con veracidad; porque también el Padre tales adoradores busca que le adoren". Esto es muy significativo. Cuando leemos esto junto con el siguiente versículo, vemos que si el hombre desea adorar a Dios, él debe primero saber cómo adorar al Padre. Si una persona no tiene con Dios una relación de Padre e hijo, ella aún no tiene vida y su espíritu sigue muerto; ella no puede adorar a Dios. Cuando una persona nace de nuevo, su espíritu es vivificado, llega a ser un hijo de Dios y puede tener comunión con Dios. El Padre tales personas busca que le adoren. Por tanto, antes de que podamos ser el pueblo de Dios, primero debemos llegar a ser los hijos de Dios. Por esta razón decimos que Dios llega a ser nuestro Dios en la ley de vida y que nosotros somos el pueblo de Dios en la ley de vida.

Tito 2:14 dice: "Quien se dio a Sí mismo por nosotros para redimirnos de toda iniquidad y purificar para Sí un pueblo especial, Su posesión personal, celoso de buenas obras". Como el pueblo especial de Dios, nosotros llegamos a ser Su posesión adquirida (Ef. 1:14). La razón por la que podemos llegar a ser el pueblo especial de Dios es porque Él es nuestro Dios en la ley de vida, y nosotros somos Su pueblo en la ley de vida. Apocalipsis 21:7 dice: "El que venza heredará estas cosas, y Yo seré su Dios, y él será Mi hijo". En la eternidad, en cuanto a la relación de vida y la relación individual, nosotros seremos los hijos de Dios; pero en cuanto a nuestra posición y nuestro conocimiento de Él como Dios, Él será nuestro Dios. ¡Qué glorioso es esto!

Finalmente, debemos decirnos a nosotros mismos las mismas palabras que le dijeron al apóstol Juan: "Adora a Dios" (22:9).

CAPÍTULO OCHO

LAS CARACTERÍSTICAS
DEL CONTENIDO DEL NUEVO PACTO

III. EL CONOCIMIENTO INTERIOR

Acerca de las características del contenido del nuevo pacto, ya mencionamos dos aspectos principales. Ciertamente, Dios es propicio a nuestras injusticias y no se acuerda más de nuestros pecados. Ésta es la gracia de Dios dada a nosotros en el nuevo pacto; no obstante, es simplemente el procedimiento por el cual Dios alcanza Su propósito eterno. También es verdad que Dios llega a ser nuestro Dios y nosotros llegamos a ser Su pueblo en la ley de vida. Sin embargo, el nuevo pacto no concluye allí, sino que añade: "Ninguno enseñará a su prójimo, ni ninguno a su hermano, diciendo: Conoce al Señor; porque todos me conocerán, desde el menor hasta el mayor de ellos" (He. 8:11). Esto se refiere a un conocimiento más profundo de Dios, es decir, conocer a Dios mismo. Por medio del Espíritu, Dios está llevando a Sus redimidos al punto más alto, es decir, a que lleguen a conocerle. El hecho de que Dios imparta Sus leyes en nuestra mente y las escriba sobre nuestros corazones es simplemente un procedimiento por el cual Dios alcanza Su propósito más profundo, que es, conocer a Dios mismo. Si bien es cierto que tener comunión con Dios es algo que de por sí cumple un fin, al mismo tiempo nuestra comunión con Dios es el procedimiento que Él utiliza para lograr un propósito más profundo: que nosotros conozcamos a Dios mismo. Sabemos que el propósito de Dios es constituirnos consigo mismo a fin de que Él se mezcle completamente con nosotros. Así pues, la característica del nuevo pacto es que el hombre pueda conocer a Dios mismo en la ley de vida y de esta manera cumplir el propósito de Dios.

Oseas 4:6 dice: "Mi pueblo fue destruido porque le faltó conocimiento". La falta de conocimiento mencionada en este versículo se refiere a la falta de conocer a Dios mismo. Los hijos de Israel fueron desobedientes al grado que fueron destruidos; esto se debió principalmente al hecho de que no conocían a Dios. Pero, alabado sea Dios, el nuevo pacto tiene esta característica: todo aquel que tiene la vida eterna también conoce a Dios (Jn. 17:3). Hoy en día, la vida eterna cumple la función de conocer a Dios. La característica del nuevo pacto es que Dios nos da revelación y dirección en la ley de vida; Él nos permite adorarle, servirle y tener comunión con Él, a fin de que podamos seguir adelante paso a paso y conocerle más y más. Ahora debemos ver cómo en esta ley de vida podemos conocer a Dios sin que ninguna persona nos enseñe.

LA ENSEÑANZA DE LA UNCIÓN

Hebreos 8:11 dice: "Ninguno enseñará a su prójimo, ni ninguno a su hermano, diciendo: Conoce al Señor; porque todos me conocerán, desde el menor hasta el mayor de ellos". En el texto original, la frase "ninguno enseñará" es muy enfática, refiriéndose a que "de ninguna manera nadie enseñará". Lo que se menciona aquí coincide con lo dicho en 1 Juan 2:27: "La unción que vosotros recibisteis de Él permanece en vosotros, y no tenéis necesidad de que nadie os enseñe; pero como Su unción os enseña todas las cosas, y es verdadera, y no es mentira, así como ella os ha enseñado, permaneced en Él".

La razón por la que una persona que tiene la vida de Dios no necesita en absoluto de la enseñanza de otros es porque tiene la unción del Señor que permanece en ella, y ésta le enseña todas las cosas. Éste es un asunto muy práctico. Cuando la Palabra de Dios dice "ninguno", significa exactamente eso: "ninguno". La unción del Señor siempre permanece en nosotros. Parece que cuanto mayor es la gracia, más difícil es que creamos; por tanto, la Palabra de Dios dice que esta unción "es verdadera" y luego dice que "no es mentira". No debemos dudar de la Palabra de Dios simplemente porque nuestra condición espiritual es anormal; lo que Dios dice concuerda con lo que Él cumple. Debemos creer la Palabra de Dios, y también debemos dar gracias a Dios y alabarle.

Para entender correctamente la enseñanza de la unción, necesitamos abarcar las tres funciones del espíritu humano. Hemos dicho anteriormente, que el espíritu del hombre está compuesto de tres partes o funciones, a saber: intuición, comunión y conciencia. Consideremos cada una de ellas.

El espíritu posee la función de la comunión

Es un hecho que cuando fuimos regenerados, nuestro espíritu fue vivificado. Tener un espíritu vivificado es el primer paso para que pueda haber comunión entre Dios y el hombre. Sabemos además que cuando fuimos regenerados el Espíritu Santo vino a morar en nosotros. También sabemos que Dios es Espíritu, y que por esta razón el que le adora debe adorarle en Espíritu y con veracidad. El Espíritu Santo guía al hombre en su espíritu y lo lleva a adorar a Dios y a tener comunión con Dios. Esto muestra la función de la comunión que le corresponde a nuestro espíritu humano.

El espíritu posee la función de la conciencia

Cuando fuimos regenerados, nuestra conciencia fue vivificada. La sangre del Señor Jesús purifica la conciencia, la limpia y hace que tenga un sentir muy agudo. En nuestra conciencia el Espíritu Santo testifica de nuestro comportamiento y nuestro andar. Romanos 8:16 dice: "El Espíritu mismo da testimonio juntamente con nuestro espíritu". Romanos 9:1 dice: "Mi conciencia da testimonio conmigo en el Espíritu Santo". En 1 Corintios 5:3 se revela que es el espíritu el que juzga, y en 2 Corintios 1:12 dice que nuestra conciencia da testimonio. Todo esto indica que el espíritu posee la función de la conciencia.

Si estamos mal, el Espíritu Santo nos condenará mediante nuestra conciencia. Debemos prestar atención a este hecho: lo que la conciencia condena, Dios también condena. No es posible que la conciencia condene algo y, sin embargo, que Dios lo justifique. Si nuestra conciencia dice que estamos equivocados, entonces estamos equivocados. Puesto que hemos errado, debemos arrepentirnos, confesar y ser limpiados con la sangre preciosa del Señor (1 Jn. 1:9). Si nuestra conciencia es pura y sin ofensa (2 Ti. 1:3; Hch. 24:16), entonces podemos servir a Dios con confianza y sin temor.

El espíritu posee la función de la intuición

Tal como el cuerpo posee ciertos sentidos, el espíritu del hombre también tiene sus sentidos. El sentido del espíritu humano está en la parte más profunda del hombre. Mateo 26:41 nos dice que "el espíritu está dispuesto". Marcos 2:8 dice: "Conociendo en Su espíritu". Marcos 8:12 dice que Él estaba "gimiendo profundamente en Su espíritu". Juan 11:33 dice: "Se indignó en su espíritu". Hechos 17:16 dice: "Su espíritu fue provocado". Hechos 18:25 dice: "Siendo ferviente de espíritu"; en Hechos 19:21: "Se propuso en espíritu"; y en Hechos 20:22: "Ligado yo en espíritu". Luego en 1 Corintios 16:18 dice: "Confortaron mi espíritu", y en 2 Corintios 7:13 dice: "Su espíritu recibió refrigerio". Todos estos ejemplos muestran la función de la intuición del espíritu. (Sería correcto decir que los sentidos del espíritu son tantos como los del alma. Por esta razón necesitamos aprender a discernir lo que es del espíritu y lo que es del alma. Solamente cuando hemos pasado por una obra más profunda de la cruz y del Espíritu Santo que podremos conocer lo que es del espíritu y lo que es del alma).

A la intuición la llamamos el sentido del espíritu porque proviene directamente del espíritu. En general, los sentimientos de una persona se manifiestan como una reacción a factores externos, tales como personas, cosas o acontecimientos. Si algo nos causa alegría, nos alegramos; si es algo que causa tristeza, nos sentimos tristes. Esos sentimientos tienen sus causas; por tanto, no les llamamos "intuición". La intuición de la que hablamos aquí es el sentir que surge directamente desde el interior del hombre, sin que aparentemente haya causa alguna. Por ejemplo, puede ser que nos dispongamos a hacer algo, porque tenemos una razón válida para hacerlo. Nos gustaría hacerlo, así que decidimos realizarlo. Sin embargo, por cierta razón desconocida, tenemos un sentir inexplicable dentro de nosotros, un sentir muy pesado y depresivo. Parece que algo dentro de nosotros se opone a lo que teníamos en mente, a lo que sentíamos en nuestras emociones, o a lo que habíamos decido en nuestra voluntad. Parece que algo por dentro nos dice que no debemos hacerlo. Ésta es la manera en que la intuición nos prohíbe hacer algo.

He aquí otro ejemplo. Quizás tengamos el sentir de que debemos hacer algo para lo cual no hay ninguna razón. Además de que no hay ninguna razón, es contrario a lo que deseamos, y no estamos dispuestos a hacerlo. Sin embargo, al mismo tiempo, por algún motivo que desconocemos, sentimos algo que nos insta, nos compele y nos alienta a hacerlo. Si lo hacemos, nos sentimos muy cómodos. Ésta es la manera en que la intuición nos impulsa a hacer algo.

La unción se halla en la intuición del espíritu

La intuición es el lugar donde la unción nos enseña. El apóstol Juan nos dice: "La unción que vosotros recibisteis de Él permanece en vosotros, y no tenéis necesidad de que nadie os enseñe; pero como Su unción os enseña todas las cosas, y es verdadera, y no es mentira, así como ella os ha enseñado, permaneced en Él" (1 Jn. 2:27). Este versículo muestra claramente cómo la unción del Espíritu Santo nos enseña. El Espíritu Santo mora en nuestro espíritu, y la unción se realiza en la intuición del espíritu.

La unción del Señor nos enseña todas las cosas. Esto indica que el Espíritu Santo nos enseña en la intuición del espíritu y hace que tengamos cierto sentir en nuestro espíritu, como cuando se le aplica ungüento a una persona, y éste le produce cierta sensación en el cuerpo. Cuando hay tal sentir en nuestro espíritu, sabemos lo que el Espíritu Santo nos dice. Necesitamos ver cuál es la diferencia entre conocer y entender. Conocemos en nuestro espíritu, pero entendemos con nuestra mente. Primero se nos da a conocer algo en la intuición del espíritu, y luego nuestra mente es alumbrada para que entendamos lo que conocemos en nuestra intuición. Es en la intuición del espíritu que conocemos la intención del Espíritu Santo, pero es en la mente del alma que entendemos como nos guía el Espíritu Santo.

La unción opera por sí misma y no necesita de ninguna

ayuda humana; expresa su propia intención de manera inde-
pendiente. Opera por sí misma en nuestro espíritu, permi-
tiendo que conozcamos su intención por medio de la intuición.
A este conocimiento que nos transmite la intuición es lo que
la Biblia llama revelación. La revelación significa que el Espíritu Santo nos muestra la verdadera condición de algo en
nuestro espíritu para que la entendamos con claridad. Esta
clase de conocimiento es más profundo que la facultad de
entender algo con nuestra mente. Debido a que la unción del
Señor permanece en nosotros y nos enseña todas las cosas, no
necesitamos la enseñanza de los demás en absoluto. La unción
nos enseña todas las cosas por medio de la función que realiza
la intuición.

El Espíritu Santo se expresa por medio de la intuición del
espíritu. La intuición es la capacidad innata de conocer que
significa lo que es el mover del Espíritu Santo. Por esta razón,
si deseamos hacer la voluntad de Dios, no es necesario pre-
guntarle a otros, ni tampoco es necesario preguntarnos a
nosotros mismos; sólo necesitamos seguir la dirección de la
intuición. La unción del Señor nos enseña todas las cosas; no
hay un caso o una cosa que no nos lo enseñe. Por tanto, nuestra única responsabilidad es recibir la enseñanza de la
unción.

Algunos ejemplos

Una vez un hermano relató la siguiente historia. Se trataba de un cristiano que antes de ser salvo bebía mucho.
Además, tenía un amigo que también bebía en exceso. Poste-
riormente, los dos fueron salvos. Un día el menor de ellos
invitó al mayor a cenar, y había servido vino sobre la mesa. El
mayor dijo: "Puesto que hemos sido salvos, quizás no debemos
beber vino". El más joven respondió: "No importa si sólo tomamos un poco porque es vino de Timoteo, lo cual es algo
permitido por las Escrituras". Luego, le preguntaron a un
ministro de la Palabra lo siguiente: "¿Después de que alguien
es salvo, puede beber vino de Timoteo?". El ministro les respondió que él llevaba laborando más de diez años y que nunca
había oído hablar del vino de Timoteo. Después de unos días,
ellos le fueron a decir al ministro que ya no bebían vino de

Timoteo. Cuando él les preguntó si alguien les había dado alguna enseñanza al respecto, ellos dijeron: "No". Les preguntó si las Escrituras les habían enseñado algo, a lo cual respondieron otra vez que no. Ellos dijeron: "De hecho, las Escrituras dicen que Timoteo tenía que usar un poco de vino, pero nosotros no bebemos, porque hay algo dentro de nosotros que nos lo prohíbe". Hermanos y hermanas, esta prohibición interior es la prohibición que procede de la ley de vida. La ley de vida es viviente y poderosa, y esta ley no les permitía beber. Debido a que la ley de vida puede hablarnos, obrar en nosotros y darnos un sentir, nosotros debemos respetarla.

Un siervo de Dios dijo que, en cierta ocasión, un hermano vino a verle y le preguntó si debería hacer cierta cosa. Y el siervo de Dios le preguntó: "¿Y tú lo sabes interiormente?". Cuando se le preguntó esto, inmediatamente contestó: "Lo sé". Algunos días después volvió para preguntar acerca de otra cosa, y otra vez el siervo de Dios le preguntó: "¿Y tú lo sabes interiormente?". A esto él respondió: "Oh, sí lo sé, lo sé". Vino una tercera vez, y la tercera vez le hizo la misma pregunta, y él inmediatamente respondió que sí lo sabía. Aunque en aquel entonces el siervo de Dios no lo expresó verbalmente, se dijo en su corazón: "¿Por qué necesitas tomar el camino más largo? Hay algo dentro de ti que te enseña todas las cosas, y es verdadero y no es mentira". Ésta es la ley de vida que nos enseña lo que debemos hacer y lo que no debemos hacer.

El problema, por tanto, es si estamos dispuestos a obedecer esta ley que está dentro de nosotros. La pregunta es, si nuestro corazón se ha vuelto completamente a Dios o no. Si nuestro corazón se vuelve completamente a Dios, entonces no necesitamos que otros nos enseñen, porque hay algo en nosotros que es viviente y verdadero, lo cual nos enseñará todo. Esto es algo que todos los hijos de Dios experimentan, algunos más que otros, pero todos, al menos de algún modo, hemos experimentado esta ley de vida dentro de nosotros. Esta ley verdaderamente se mueve en nosotros y nos habla, y no necesita de la enseñanza del hombre.

He aquí otro ejemplo. Había un hermano cristiano a quien le gustaba dar hospitalidad a los creyentes, especialmente a los ministros. Si él se encontraba con un ministro, lo invitaba a cenar o le daba algún obsequio. En una ocasión, él estaba escuchando la predicación de un ministro en cierto lugar, pero lo que este hombre predicaba no correspondía con las Escrituras, porque no confesaba que Jesucristo había venido en carne. Mientras este hermano le escuchaba, por una parte se sentía incómodo, pero, por otra, según su costumbre, él deseaba saludar al ministro y hablarle un poco. Estaba a punto de saludarle cuando percibió algo en su interior que se lo prohibía. Titubeó por un minuto, pero finalmente se dio por vencido y se fue a casa. Este cristiano ignoraba que en 2 Juan 7-10 dice que algunos se llaman ministros de Cristo y, sin embargo, no confiesan que Jesucristo vino en carne. Él no sabía que a tales personas no se las debe saludar ni invitarlas a nuestra casa, pero la vida dentro de él le dijo exactamente eso. Esto significa que, si bien no es necesario en absoluto que otros nos enseñen, aun así podemos saber. Ésta es la característica del nuevo pacto.

¿Por qué entonces las Escrituras nos hablan de enseñanza?

Sin duda alguien hará la siguiente pregunta: ¿Por qué entonces las Escrituras hablan en muchos lugares acerca de enseñanzas? Por ejemplo, Pablo dijo: "Por esto mismo os he enviado a Timoteo, que es mi hijo amado y fiel en el Señor, el cual os recordará mi proceder en Cristo, de la manera que enseño en todas partes, en todas las iglesias" (1 Co. 4:17). Él también dijo: "Pero en la iglesia prefiero hablar cinco palabras con mi mente, para instruir también a otros" (14:19). Hay muchos otros pasajes que también hablan de enseñanza, como Colosenses 1:28; 2:22; 3:16; 1 Timoteo 2:7; 3:2; 4:11, 13; 5:17; y 2 Timoteo 2:2, 24; 3:16. ¿Cómo se explican tales pasajes? Para responder a esta pregunta debemos comenzar desde nuestra experiencia y después ver lo que dicen las Escrituras.

El hablar ha estado ocurriendo primeramente en nuestro interior

La unción del Señor en verdad nos está enseñando interiormente. La dificultad radica en que no podemos oír. Hermanos y hermanas, debemos darnos cuenta de lo débiles que somos.

Somos tan débiles que continuamos sin escuchar a Dios, aunque nos haya hablado una, dos, cinco, diez veces y hasta veinte veces. A veces oímos, pero fingimos no haberlo oído. Sí entendemos, pero fingimos que no hemos entendido. Nuestra debilidad más grande delante de Dios está en el asunto de escuchar. El Señor dijo: "El que tiene oído, oiga" (Ap. 2:7a). En cada una de las siete epístolas de Apocalipsis se repite: "El que tiene oído, oiga". Las Escrituras consideran que escuchar es un asunto de gran importancia.

Cuando los discípulos le preguntaron al Señor Jesús la razón por la qué le hablaba a las personas en parábolas, les respondió: "Por eso les hablo en parábolas, porque viendo no ven, y oyendo no oyen, ni entienden" (Mt. 13:13). El Señor Jesús también citó Isaías 6:9-10 diciendo: "De oído oiréis, y no entenderéis; y viendo veréis, y no percibiréis. Porque el corazón de este pueblo se ha engrosado, y con los oídos han oído pesadamente, y han cerrado sus ojos; para que no vean con los ojos, y oigan con los oídos, y con el corazón entiendan, y se conviertan, y Yo los sane" (Mt. 13:14-15). Estos versículos nos muestran que el problema no se debe a que no haya algo en el hombre que le enseñe o le hable interiormente, sino que el hombre a propósito no oye.

Así pues, muchas veces el problema no es que Dios no haya hablado o que no le hable al hombre interiormente, sino que el hombre se rehúsa a oír. Dios nos habla una vez, dos veces, cinco veces e incluso diez veces; sin embargo, aun así no oímos. Puesto que no queremos oír, no podemos oír. Puesto que no oímos, simplemente dejamos de oír. Job 33:14 dice: "Aunque lo cierto es quede una u otra manera habla Dios, / pero el hombre no lo entiende". Ésta es exactamente la situación de algunos de los hijos de Dios.

Aquellos que tienen problemas en su mente, los que son subjetivos, los que son obstinados y actúan conforme a su manera, y los que son conservadores, son personas que no oyen fácilmente. Así que, cada vez que no oigamos la voz de Dios y no tengamos la enseñanza de la unción, necesitamos percatarnos de que algo está mal con nosotros; debemos de tener algún problema. La dificultad nunca proviene del lado de Dios, sino siempre de nuestro lado. Pero alabado sea el Señor, porque Él en Su paciencia continúa hablándole al hombre. Job 33:15-16 dice: "Por sueños, en visión nocturna, / cuando el sueño cae sobre los hombres, / cuando se duermen en el lecho, entonces se revela él al oído del hombre / y le confirma su instrucción". Si no le oímos, Él incluso usará visiones y sueños a fin de enseñarnos. Por tanto, no es cuestión de que Dios no nos haya dicho nada; antes bien, Dios nos habla mucho. La dificultad yace en que el hombre no escucha mucho.

Se nos repite externamente

Cuando leemos las Epístolas del Nuevo Testamento, nos damos cuenta que muchas de las enseñanzas se repiten. Se han repetido debido a algunas dificultades que existían en la iglesia. En las Epístolas del Nuevo Testamento con frecuencia encontramos la frase: "¿O ignoráis?". Tal frase aparece en Romanos 6:3, 16; 1 Corintios 3:16; 5:6; 6:2-3, 9, 15-16, 19; y Jacobo 4:4. "O ignoráis" significa que aunque habíamos oído algo y lo sabíamos interiormente, no le hicimos caso; sencillamente lo pasamos por alto. Por tanto, Dios dice a través de las Escrituras: "¿O ignoráis?". Las Escrituras no reemplazan el hablar de la unción interior, sino que simplemente repiten lo que la unción ya dijo. Puesto que espiritualmente estamos enfermos y somos anormales, y dado que hacemos caso omiso de lo que se nos enseña interiormente, el Señor, por medio de Su siervo, usa las palabras de las Escrituras, repitiendo externamente lo que la unción interior ya nos había hablado. La unción del Señor nos enseña las cosas internamente, así que debemos comenzar a oír lo que está dentro de nosotros. Debemos ver que la enseñanza interior y la enseñanza externa, se benefician entre sí. La enseñanza externa; sin embargo, no debe sustituir la interior. El hablar que percibimos interiormente es viviente y es de vida. Ésta es la característica del nuevo pacto. Todos los que pertenecen a Dios deben prestar atención a este asunto.

Aquí debemos decir algunas palabras a los hermanos y hermanas a manera de recordatorio. Cuando ayudamos a otros, nunca debemos darles los "Diez Mandamientos". Tampoco debemos enseñarles subjetivamente para que hagan esto o dejen de hacer aquello. No debemos hablarles sobre la voluntad de Dios a individuos de la manera en que lo hicieron los profetas en el Antiguo Testamento. La razón es que en el Nuevo Testamento los profetas son exclusivamente para la iglesia y no para individuos. Un profeta de la época del Nuevo Testamento sólo puede indicar cuál es la voluntad que Dios ordenó como un principio a seguir; no debe indicar cuál es la voluntad de Dios para el individuo. Todos nosotros, los que pertenecemos a Dios, debemos aprender a recibir la enseñanza de la unción internamente; de lo contrario, no es el nuevo pacto. De este modo sólo debemos confirmar lo que Dios ya ha hablado en el hombre. Lo único que podemos hacer es repetir lo que Dios nos ha enseñado interiormente. Ir más allá de esto sería ir por encima del nuevo pacto. Por otra parte, debemos recibir humildemente la enseñanza de los que nos enseñan en el Señor. Sin embargo, la enseñanza que recibimos también tiene que ser la enseñanza de la unción que está dentro de nosotros; de lo contrario, no es el nuevo pacto. Debemos recordar que la letra mata; sólo el Espíritu vivifica (2 Co. 3:6).

La mente debe ser renovada

La unción del Señor permanece en la intuición de nuestro espíritu y nos enseña todas las cosas, pero a veces nuestra mente no puede entender el sentir que está en nuestro espíritu. Por esta razón es necesario que nuestra mente sea renovada. Sólo así podremos entender lo que nos está enseñando la unción. Romanos 12:2 nos muestra que primero la mente debe ser renovada y transformada, y luego nosotros podremos comprobar cuál es la voluntad de Dios: lo bueno, lo agradable y lo perfecto. Colosenses 1:9 nos muestra que primero debemos tener un entendimiento espiritual y entonces, seremos llenos del pleno conocimiento de la voluntad de Dios. Por tanto, la renovación de la mente es esencial. Si nuestra mente no es renovada, no podremos conocer ni entender la enseñanza de la unción. Por otra parte, si nuestra mente no es renovada, consideraremos aquellos pensamientos repentinos que llegan a nuestra mente como relámpagos como si fueran el guiar del Señor para nosotros. También estimaremos como la voluntad del Señor aquellas ideas infundadas y las teorías vanas. Consideraremos las visiones y los sueños que carecen de sentido y de valor como las palabras que el Señor nos ha dado y como la revelación que Él nos ha mostrado. Todo esto nos perjudica y no es provechoso.

Admitimos y creemos que el Señor a veces abre nuestros oídos valiéndose de visiones y sueños, como se menciona en Job 33:15-16, pero no aceptamos ni creemos que los pensamientos confusos, o visiones y sueños que carecen de sentido y de valor, provengan del Señor. Por tanto, a fin de entender la enseñanza de la unción es crucial que nuestra mente sea renovada. Ahora la pregunta es: ¿Cómo puede ser renovada la mente? Tito 3:5 habla de la renovación que efectúa el Espíritu Santo. Romanos 12:1-2 expresa claramente que primero debemos presentar nuestros cuerpos en sacrificio vivo y entonces podemos ser transformados por medio de la renovación de nuestra mente. Con esto vemos que la renovación de la mente se basa en la consagración. Efesios 4:22-23 nos muestra que a fin de ser renovados en el espíritu de nuestra mente, primero debemos, en nuestra experiencia, despojarnos del viejo hombre con respecto a nuestra pasada manera de vivir. Esto muestra que la renovación de nuestra mente se efectúa a través de la cruz. Efesios 4:23 dice: "Os renováis en el espíritu de vuestra mente". Es claro, por tanto, que el proceso de renovación empieza a partir de nuestro espíritu y luego se extiende a la mente. Dijimos anteriormente que la obra del Espíritu Santo empieza desde el centro y se extiende a la circunferencia. Si existe un problema en el corazón, que es la parte más profunda del hombre, y no es confrontado, entonces es imposible que su mente sea renovada. Por tanto, el Espíritu Santo primero renueva el espíritu de la mente y después renueva la mente.

En resumen, debido a que somos constreñidos por Dios, presentamos nuestros cuerpos en sacrificio vivo. Después, el Espíritu Santo, por medio de la cruz, nos lleva a la experiencia en la cual ejercitamos nuestra voluntad para despojarnos del viejo hombre con su pasada manera de vivir, de tal modo que Su vida logre entrar más plenamente en nuestro ser a fin de que nuestro espíritu sea renovado y nuestra mente también sea renovada. La renovación es una obra prolongada y continua del Espíritu Santo. Cuando llegamos a este punto, necesitamos dar gracias a Dios y alabarle, pues todo es obra de Su gracia. No tenemos nada más que hacer excepto recibir Su gracia, alabarle y darle gracias. Repetimos, la unción del Señor está en nosotros, enseñándonos todas las cosas. Éste es un asunto verdadero y definitivo. La ley de vida que está en nosotros no necesita la enseñanza de ningún hombre. Esto no es una exageración; las Escrituras lo han dicho así. Por otra parte, necesitamos estar prevenidos para no ser engañados y caer en extremos. Necesitamos corroborar el sentir que hay en nuestro interior con las palabras de las Escrituras.

Comprobar nuestro sentir interior mediante las Escrituras

El Espíritu Santo es el Espíritu de realidad (Jn. 14:17). Él nos guía a toda la realidad (16:13). Por tanto, si nuestro sentir interior proviene del Espíritu Santo, este sentir debe corresponder con lo que dicen las Escrituras. Si nuestro sentir interior no corresponde con las palabras de las Escrituras, ese sentir es inexacto. Sabemos que el sentir interior es viviente, y también sabemos que las Escrituras por fuera son exactas. Si únicamente contamos con las palabras de las Escrituras, en ellas encontraremos exactitud y seguridad, pero no encontraremos vida. Por otra parte, si únicamente tenemos el sentir interior, éste puede ser viviente, pero no es exacto, viviente ni seguro. Nuestra experiencia debe ser como un tren cuyo poder se halla dentro de la locomotora y cuyas vías están por fuera. Si solamente están los rieles por fuera, y la locomotora carece de poder, el tren no se moverá; por otra parte, si sólo cuenta con el poder de la locomotora y por fuera no hay rieles, el tren correrá sin control y tendrá un accidente. Las Escrituras nos muestran que cuando los israelitas salieron de Egipto, tenían como guía una columna de nube por el día y una columna de fuego por la noche. Cuando nuestra condición espiritual es normal, andaremos a plena luz del día, pero nuestra condición espiritual no siempre es así. Las Escrituras también nos dicen que la Palabra de Dios es lámpara a nuestros pies y lumbrera a nuestro camino (Sal. 119:105). Si no hubiera noche, la lámpara y la lumbrera no serían necesarias. Cuando resplandecemos interiormente, nuestro sentir interior es claro y seguro, pero cuando estamos internamente en tinieblas, nuestro sentir interior es vago e incierto. Entonces, debemos usar las palabras de las Escrituras para verificar nuestro sentir interior. La vida más la verdad es igual al poder verdadero. La vida y la verdad producen una fuerza segura. Necesitamos andar sobre el camino seguro de la vida y la verdad. Cada acción, cada pensamiento y cada decisión deben ser verificados con las palabras de las Escrituras, a fin de que podamos avanzar sin descarriarnos.

Dos maneras de conocer a Dios

Leamos nuevamente Hebreos 8:11: "Ninguno enseñará a su prójimo, ni ninguno a su hermano, diciendo: Conoce al Señor; porque todos me conocerán, desde el menor hasta el mayor de ellos". Este versículo nos dice que nosotros, el pueblo de Dios en la ley de vida, podemos conocer a Dios sin ninguna enseñanza de hombre. En este versículo se usa la palabra conocer dos veces. La primera vez se dice que los hombres se enseñen unos a otros a conocer al Señor. La segunda vez se refiere a que todos, desde el menor hasta el mayor, conocerán al Señor. El primer uso de la palabra conocer se refiere al conocimiento común; el segundo uso se refiere al conocimiento de la intuición. El conocimiento común es el conocimiento objetivo o exterior, mientras que el conocimiento intuitivo es el conocimiento subjetivo o interior.

Veamos un ejemplo en cuanto a la diferencia que existe entre el conocimiento ordinario y el conocimiento intuitivo. Supongamos que tenemos frente a nosotros azúcar y sal. Ambos tienen casi el mismo aspecto. Ambos son de color blanco y son de textura fina, pero si los ponemos en nuestra boca, conoceremos cuál es el azúcar y cuál es la sal. El azúcar tiene el sabor del azúcar, y la sal sabe a sal. Aunque podamos usar nuestros ojos para distinguir el azúcar de la sal exteriormente, no es tan exacto como gustarlos con la lengua.

Sucede lo mismo con el conocimiento de Dios. El conocimiento externo sólo es un conocimiento común, pero el conocimiento interior es el conocimiento exacto. Cuando Dios nos hace probarlo a Él mismo, experimentamos una alegría inefable. En Salmos 34:8 dice: "Gustad y ved que es bueno Jehová". ¡Qué maravilloso! ¡Podemos gustar a Dios! Hebreos 6:4-5 dice: "...Los que una vez fueron iluminados y gustaron del don celestial, y fueron hechos partícipes del Espíritu Santo, y asimismo gustaron de la buena palabra de Dios y los poderes del siglo venidero". Esto nos muestra que es necesario gustar de las cosas espirituales. Gracias a Dios que la característica del nuevo pacto es que no sólo nos permite gustar de las cosas espirituales, sino que incluso nos permite gustar a Dios mismo. ¡Qué gran bendición y qué gran gloria es eso!

Tres pasos para conocer a Dios

Según las Escrituras, el conocer a Dios puede dividirse en tres pasos. En Salmos 103:7 dice: "Sus caminos notificó a Moisés, / y a los hijos de Israel Sus obras.". La palabra *caminos* en este versículo es la misma palabra que se usa en Isaías 55:8. Los israelitas sólo conocían los hechos que Dios realizó, pero Moisés conocía los caminos de Dios. Es evidente que el conocimiento que tenía Moisés de Dios era más avanzado que el que tenían los hijos de Israel. Pero el conocimiento de la intuición, al cual se hace referencia en Hebreos 8:11, es más avanzado que conocer los caminos de Dios. El conocimiento de la intuición consiste en conocer la naturaleza de Dios, en conocer a Dios mismo. Si leemos juntos estos dos versículos de las Escrituras, podemos ver que conocer a Dios es una acción que realizamos en tres pasos. En la primera etapa conocemos los hechos que Dios realizó; en la segunda etapa conocemos los caminos de Dios; y en la tercera etapa conocemos a Dios mismo. Conocer los hechos y los caminos de Dios sólo es una clase de conocimiento externo, pero conocer la naturaleza de Dios de forma interior y conocer a Dios mismo es un conocimiento más profundo y es el más valioso. Ahora veamos estos tres pasos separadamente.

Conocer los hechos de Dios

Conocer lo que Dios ha hecho significa conocer los milagros y las maravillas que Él hizo. Cuando los hijos de Israel estaban en la tierra de Egipto, por ejemplo, presenciaron las diez plagas que Dios envió (Éx. 7—11). Otro ejemplo es cuando vieron cómo Dios envió el gran viento del este, e hizo que el agua del mar Rojo se retirara en una noche, de tal modo que las aguas se dividieron y el mar se convirtió en tierra seca (14:21). Otros dos ejemplos son la manera en que los hijos de Israel obtuvieron agua viva de la roca que fue herida en el desierto (17:6), y el maná que diariamente descendía del cielo (16:35). Todos estos actos son hechos que Dios realizó. De igual manera, la alimentación de los cinco mil con cinco panes y dos pescados (Jn. 6:9-12), y los ciegos que recibieron la vista, los cojos que andaron, los leprosos que fueron limpiados, los sordos que oyeron y los muertos que fueron resucitados (Mt. 11:5), todos son hechos que Dios realizó. Hoy en día Dios ha sanado a algunas personas, o las ha protegido en contra peligros durante un viaje. Éstos son hechos que Dios ha realizado. Ahora bien, si únicamente conocemos los hechos de Dios, no se nos puede considerar como los que conocemos a Dios; esta clase de conocimiento es superficial y externo.

Conocer los caminos de Dios

Conocer los caminos de Dios significa conocer el principio mediante el cual Dios hace las cosas. Por ejemplo, cuando Abraham oró por Sodoma, él oró tomando la posición del lado de la justicia de Dios. Él sabía que Dios era un Dios justo, y Él no podría actuar en contra de Su justicia. Esto significa que Abraham conocía la manera en que Dios hace las cosas. Se puede ver otro ejemplo en el incidente donde Moisés vio la manifestación de la gloria de Jehová, y le dijo a Aarón: "Toma el incensario, pon en él fuego del altar y échale incienso; vete enseguida adonde está la congregación, y haz expiación por ellos, porque el furor ha salido de la presencia de Jehová y la mortandad ha comenzado" (Nm. 16:46). Esto significa que Moisés conocía los caminos de Dios. Él sabía que si el hombre actuaba de cierta manera, entonces Dios respondería de cierta manera.

Samuel le dijo a Saúl: "Mejor es obedecer que sacrificar; / prestar atención mejor es que la grasa de los carneros" (1 S. 15:22). Esto hace referencia a conocer los caminos de Dios. Otro ejemplo es cuando David se negó a ofrecer holocaustos que no le costaran nada (2 S. 24:24). Esto también se refiere a conocer los caminos de Dios.

Conocer a Dios mismo

Conocer la naturaleza de Dios significa conocer a Dios mismo. Se mencionó anteriormente que cada clase de vida posee sus propias características. Los peces poseen las características de los peces y las aves poseen las características de las aves. La vida de Dios también tiene su característica. Esta característica es la naturaleza de Dios, la cual consiste en bondad, justicia (Sal. 25:8; 86:5; Mt. 19:17) y santidad (Hch 3:14; 2 Co. 1:12). Esta naturaleza expresa a Dios mismo por medio de la luz. Cuando nacemos de nuevo, obtenemos la vida de Dios y recibimos la naturaleza de Dios. Al tocar Su naturaleza en nosotros, también tocamos a Dios mismo en nosotros. Esto es conocer a Dios mismo. Por ejemplo, si hemos cometido algún pecado, tendremos un sentir en nuestra conciencia que nos exige tomar medidas al respecto, y sólo si tratamos con ese pecado, podemos estar en paz. Sin embargo, en nuestro interior existe un sentir santo, un sentir que es aún más profundo que la conciencia. En lo más profundo de nosotros sentimos repugnancia y odio hacia el pecado mismo. Esta clase de odio proviene de la naturaleza santa de Dios. Cuando el hombre toca a Dios mismo, el conocimiento que tiene de la santidad de Dios excede toda expresión humana. A veces el sentir que tenemos es igual al de Job: "De oídas te conocía, / mas ahora mis ojos te ven. / Por eso me aborrezco / y me arrepiento en polvo y ceniza" (Job 42:5-6).

Bajo la luz del sol brillante incluso el polvo queda al descubierto. De la misma manera, nuestro inmundicia siempre queda al descubierto ante la presencia de la santidad de Dios. No es de extrañar que cuando Pedro se encontró con el Señor mismo, cayó a los pies del Señor diciendo: "Apártate de mí, Señor, porque soy hombre pecador" (Lc. 5:8). Muchas veces, cuando decimos o hacemos algo, aunque nuestra conciencia no nos condena, aun así hay un sentir dentro de nosotros que nos molesta, un sentir que no dice "amén". Éste es el sentir que proviene de la naturaleza de la vida de Dios y excede la sensibilidad de la conciencia. Si hemos aprendido esto y estamos dispuestos a obedecer, entonces en esas ocasiones podremos tocar a Dios mismo. En esas ocasiones conoceremos a Dios mismo.

Pablo les dijo a los creyentes corintios: "Nos fatigamos trabajando con nuestras propias manos; nos maldicen, y bendecimos; padecemos persecución, y la soportamos. Nos difaman, y exhortamos; hemos venido a ser hasta ahora como la escoria del mundo, el desecho de todas las cosas" (1 Co. 4:12-13). Esto muestra que no sólo la vida de Dios es así, sino también muestra que la naturaleza de esta vida es así. Cuando Pablo tocó la naturaleza de Dios, él tocó a Dios mismo. En ese momento él conoció a Dios mismo.

La siguiente es una historia verdadera. Había dos hermanos cristianos que eran granjeros y sembraban arroz en sus campos. Los campos estaban situados en la falda de una colina. Todos los días los hermanos tenían que bombear con sus pies el agua que llegaba a los campos, y todos los días descubrían que el granjero cuyos plantíos estaban ubicados más abajo que los suyos se valía siempre de maneras ingeniosas para hacer que el agua se desviara de los arrozales y penetrara en sus plantíos, campo abajo. Por siete u ocho días soportaron esto sin decir ni una palabra, pero no tenían gozo interior. Después, fueron a tener comunión con un hermano que era un siervo del Señor. Él les dijo: "No es suficiente que ustedes únicamente soporten la situación. Ustedes primero, deben ir al campo de aquel que les robó el agua para regarlo, y después bombeen el agua para sus propios campos". Los dos hermanos regresaron a sus campos e hicieron tal y como él les había dicho. Fue extraño: cuanto más hacían eso, más felices se sentían. Como resultado, el que les robaba el agua fue conmovido; no sólo dejó de robarles el agua, sino que vino a disculparse con ellos. La razón por la que ellos pudieron hacer eso, y hacerlo de manera tan espontánea, se debía a que procedieron según la naturaleza de Dios. De lo contrario, si lo hubieran hecho sólo de una manera externa, interiormente aún tendrían la sensación de que estaban siendo agraviados y, más adelante, continuarían sintiéndose molestos. Sólo aquello que hacemos de acuerdo con la naturaleza de Dios nos hace sentirnos cómodos interiormente. Cuanto más hagamos las cosas de esta manera, más alabaremos a Dios y más conoceremos a Dios mismo.

Conocer a Dios en nuestra intuición

Conocer a Dios mismo es la bendición más grande y la gloria más grande del nuevo pacto. No podemos conocer a Dios mismo por medio de la carne, sino sólo por medio de la intuición. Veamos lo que dicen las Escrituras acerca de conocer a Dios en nuestra intuición. Juan 17:3 dice: "Ésta es la vida eterna: que te conozcan a Ti, el único Dios verdadero, y a quien has enviado, Jesucristo". Este versículo nos dice que todo aquel que tiene vida eterna conoce a Dios y al Señor Jesús. Es decir, cuando un hombre recibe la vida eterna, él recibe la habilidad de conocer a Dios en la intuición, lo cual no tenía antes. Esta vida eterna tiene una función que le permite al hombre conocer a Dios. Conocemos a Dios, Aquel que ha sido dado a conocer por nosotros, por medio de la vida interior. No somos como aquella gente de Atenas que, usando la razón y la inferencia, adoraban a un Dios desconocido (Hch. 17:23). Por tanto, si alguien dice que tiene vida eterna pero nunca ha conocido a Dios, entonces su afirmación de que tiene vida eterna es dudosa; sólo es de la letra. En un sentido más estricto, esta clase de persona no tiene vida eterna. Si deseamos conocer a Dios, debemos primero tener vida eterna.

En 1 Corintios 2:11-12 dice: "Porque ¿quién de los hombres sabe las cosas del hombre, sino el espíritu del hombre que está en él? Así tampoco nadie conoció las cosas de Dios, sino el Espíritu de Dios. Pero nosotros no hemos recibido el espíritu del mundo, sino el Espíritu que proviene de Dios, para que sepamos lo que Dios nos ha dado por Su gracia". Este versículo nos dice que es el Espíritu Santo, quien está en nuestro espíritu, el que nos permite conocer las cosas de Dios. Las cosas de Dios no se pueden conocer por medio de la mente del hombre; el hombre no puede entenderlas por medio de sus razonamientos, ni puede comprenderlas con su propia sabiduría. Por tanto, las Escrituras dicen: "El hombre anímico no acepta las cosas que son del Espíritu de Dios, porque para él son necedad, y no las puede entender" (2:14).

Efesios 1:17-18 dice: "Para que el Dios de nuestro Señor

Jesucristo, el Padre de gloria, os dé espíritu de sabiduría y de revelación en el pleno conocimiento de Él, para que, alumbrados los ojos de vuestro corazón, sepáis...". Estos versículos nos dicen que el apóstol oró por los creyentes de Éfeso que habían sido regenerados, para que recibieran un espíritu de sabiduría y de revelación, y para que tuvieran el pleno conocimiento de Dios en su intuición. Es difícil decir si este espíritu de sabiduría y de revelación es una función que había estado velada en el espíritu del creyente, y la cual sería sacada a la luz por Dios mediante la oración, o si el Espíritu Santo hace que el creyente reciba de nuevo sabiduría y revelación en su espíritu por medio de la oración; en cualquier caso, este espíritu de sabiduría y de revelación permite que el creyente reciba el pleno conocimiento de Dios. Nuestra intuición necesita sabiduría y revelación. Necesitamos sabiduría para distinguir lo que proviene de Dios y lo que proviene de nosotros mismos. Necesitamos sabiduría para conocer a los falsos apóstoles y los falsos ángeles de luz (2 Co. 11:13-14). Cuando Dios nos da sabiduría, no se la transmite a nuestra mente sino a nuestro espíritu. Dios quiere que haya sabiduría en nuestra intuición, y es por medio de la intuición que Él desea guiarnos en el camino de la sabiduría. Para conocer verdaderamente a Dios, necesitamos revelación. El espíritu de revelación significa que Dios se mueve en nuestro espíritu y capacita a nuestra intuición conocer lo que Dios se ha propuesto y conocer Su mover. Es sólo al recibir la revelación en nuestro espíritu que podemos tener el pleno conocimiento de Dios.

Cuando Dios nos da el espíritu de sabiduría y de revelación, Él no solamente nos hace aptos para tener el pleno conocimiento de Él en nuestra intuición, sino que también alumbra los ojos de nuestro corazón. Aquí los ojos de nuestro corazón se refiere a nuestro entendimiento, es decir, nuestra *dianoia*, como se menciona en Efesios 4:18, la cual es sencillamente la facultad de percepción y entendimiento. En Efesios 1:17-18 se mencionan dos conocimientos. El primero es el conocimiento que proviene de la intuición, mientras que el segundo es el conocimiento o entendimiento que proviene de la mente. El espíritu de revelación se encuentra en la parte más profunda de nuestro ser. Dios se revela a Sí mismo en nuestro espíritu a fin de que mediante la intuición podamos tener el pleno conocimiento de Él. Este conocimiento únicamente se percibe en la intuición: sólo el hombre interior tiene este conocimiento; el hombre exterior no lo tiene. Nuestro espíritu aún necesita alumbrar nuestra mente y llenarla de luz, a fin de que nuestra mente pueda entender la intención del espíritu, y de este modo nuestro hombre exterior también reciba ese conocimiento. Por tanto, la revelación se recibe primero en el espíritu, y luego llega a la mente. La revelación acontece en la intuición del espíritu, mientras que la iluminación ocurre en la mente del alma. En la intuición, conocemos las cosas al percibirlas; mientras que en la mente las entendemos al verlas. Así que, Dios nos da el espíritu de sabiduría y de revelación, a fin de que verdaderamente podamos conocerle y entenderle.

Colosenses 1:9-10 dice: "Que seáis llenos del pleno conocimiento de Su voluntad en toda sabiduría e inteligencia espiritual, para que andéis como es digno del Señor, agradándole en todo, llevando fruto en toda buena obra, y creciendo por el pleno conocimiento de Dios". Este pasaje nos muestra que necesitamos tener sabiduría e inteligencia espiritual a fin de conocer la voluntad de Dios, para hacer las cosas que le son agradables y para tener el pleno conocimiento de Él. Hemos visto que es Dios quien nos da la sabiduría espiritual en nuestro espíritu, pero al mismo tiempo debemos también tener el entendimiento espiritual para entender la revelación que Dios nos da en la intuición de nuestro espíritu. Por una parte, la intuición del espíritu nos permite conocer el mover de Dios y, por otra, el entendimiento espiritual nos permite conocer el significado de este mover que percibimos en nuestro espíritu. Si en todas las cosas buscamos la voluntad de Dios en nuestro espíritu, el resultado será que conoceremos a Dios más y más. Creceremos por el pleno conocimiento de Dios. Esto hará que nuestra intuición crezca indefinidamente. El crecimiento de la intuición es simplemente el crecimiento de la vida en nosotros. Cuanto más crece la vida, más seremos ocupados por Dios. Por tanto, debemos cooperar con el mover de la ley de vida y entrenar a nuestro espíritu a fin de conocer a Dios de una manera más profunda. Lo que necesitamos es el pleno conocimiento de Él. Debemos pedirle a Dios que nos dé un espíritu de sabiduría y de revelación, y que nos dé inteligencia espiritual a fin de que día a día crezcamos mediante el pleno conocimiento de Dios.

Mateo 5:8 dice: "Bienaventurados los de corazón puro, porque ellos verán a Dios". Aquí vemos otra vez el asunto del corazón. Si nuestro corazón es puro y no es de doble ánimo, como se menciona en Jacobo 4:8, veremos a Dios. Si nuestro corazón desea y codicia otras cosas aparte de Dios mismo, tendremos un velo en nuestro interior; entonces nuestra percepción de Dios será algo borrosa. Por tanto, siempre que nos sintamos nublados internamente, lo más importante que debemos hacer es pedirle a Dios que nos muestre si nuestro corazón es puro o no.

El Señor Jesús dijo: "El que me ama, Mi palabra guardará; y Mi Padre le amará, y vendremos a él, y haremos morada con él" (Jn. 14:23). Este versículo nos dice que si amamos y obedecemos al Señor, Dios hará morada con nosotros. Dios nos dará el sentir de Su presencia. Esto corresponde con 1 Juan 2:27 donde se nos dice que debemos permanecer en el Señor según la enseñanza de la unción. Esto significa que cuando andamos según la enseñanza de la unción, guardamos la palabra del Señor; entonces permanecemos en el Señor y Dios hará morada con nosotros. Esta obediencia es un resultado de nuestro amor hacia Dios, y no de la coerción de los demás.

El hermano Lawrence dijo que si nuestro corazón ha de conocer a Dios en cualquier medida, sólo lo podremos hacer por medio del amor. Él también dijo que los placeres del corazón del hombre son diferentes de sus sentimientos. La manera apropiada de canalizar los sentimientos es el amor, y el objeto del amor es Dios. Por tanto, debemos cantar:

> Lo que tú, hombre, ames,
> Eso llegarás a ser:
> Dios, si a Dios amas,
> Polvo, si al polvo amas.
> Hazte a un lado, Dios entrará;
> Ve a la muerte, Él vivirá;
> Deja de ser, y Él será;
> Espera, y Él todo dará.

Oh, cruz de Cristo, te tomaré
En mi corazón la guardaré,
Entonces, a mi yo moriré
Y en Tu vida me levantaré.

Para llegar a Tu Dios,
La ruta del amor la más corta es;
Pero la del conocimiento
A nada te conducirá.
Saca el mundo de tu corazón,
Y lleno del amor de Dios será
Y tan santo como Él .

(*Hymns,* #477)

Ciertamente la manera más apropiada de canalizar los sentimientos es el amor. El amor no es renuente. Amamos a Dios porque Él nos amó primero (1 Jn. 4:19). Cuanto más le amemos, más nos acercaremos a Él, y cuanto más nos acerquemos a Él, más le conoceremos. Cuanto más le conocemos, más le amamos y más le deseamos.

Los santos de antaño escribieron en el libro de los Salmos: "Como el ciervo brama por las corrientes de las aguas, / así clama por Ti, Dios, el alma mía." (Sal. 42:1). Así desean a Dios aquellos que le han gustado. Uno de los hijos del Señor dijo que Dios nos ha dado un corazón tan grande que sólo Él lo puede llenar. Quizás pensamos que nuestro corazón es pequeño, pero aquellos que han gustado de Dios testifican que el corazón es tan grande que nada lo puede llenar excepto Dios mismo; sólo Dios puede llenar nuestro corazón. ¿Hermanos y hermanas, cuánto anhela su corazón a Dios?

La expresión exterior de Dios

Expresar a Dios exteriormente no puede exceder nuestro conocimiento interior. El grado en que conozcamos a Dios interiormente determina el grado en que lo expresemos a Él exteriormente. Es decir, la expresión exterior resulta del conocimiento interior. Ahora consideremos algunos aspectos diferentes de este asunto.

La expresión en el denuedo
y el discernimiento

El apóstol Pablo dijo: "Pero cuando agradó a Dios, que me apartó desde el vientre de mi madre, y me llamó por Su gracia, revelar a Su Hijo en mí, para que yo le anunciase como evangelio entre los gentiles, no consulté en seguida con carne y sangre, ni subí a Jerusalén a los que eran apóstoles antes que yo" (Gá. 1:15-17). Esto muestra que la razón por la que Pablo tenía el denuedo para predicar el evangelio a las naciones era debido a que el conocimiento que tenía del Hijo de Dios lo había obtenido por revelación. Esta clase de conocimiento no se puede obtener por medio de la carne.

Cuando una persona conoce a Cristo en sí misma, también conocerá al Cristo que está en otros. Esto es lo que Pablo pensaba cuando dijo: "De aquí en adelante a nadie conocemos según la carne" (2 Co. 5:16). A los que conocen al hombre según la carne, les es muy difícil recibir el suministro de vida por parte del hombre. Los defectos en la apariencia del hombre les afectan fácilmente. Si otros tienen alguna imperfección, ellos la usan como una razón para criticarlos y juzgarlos, y también se convierte en un elemento para alimentar su propio orgullo. Por tanto, si una persona puede conocer o no al Cristo que está en otros, dependerá de si conoce a Cristo en ella misma. Pablo continuó diciendo: "Aun si a Cristo conocimos según la carne, ya no lo conocemos así" (v. 16). El apóstol Juan dijo: "Todo espíritu que no confiesa a Jesús, no es de Dios; y éste es el espíritu del anticristo [...] Hijitos, vosotros sois de Dios, y los habéis vencido; porque mayor es el que está en vosotros, que el que está en el mundo" (1 Jn. 4:3-4). Los que verdaderamente conocen a Dios pueden discernir quiénes son los falsos apóstoles (2 Co. 11:13; Ap. 2:2), los falsos profetas (Mt. 24:11), los falsos hermanos (2 Co. 11:26; Gá. 2:4) y los falsos ángeles de luz (2 Co. 11:13-15). Siempre que somos engañados se debe a que no conocemos a los hombres según Cristo, quien está en nosotros. Los que realmente conocen a Dios tienen la osadía de declarar: "¡Mayor es el que mora en nosotros, que el espíritu del anticristo!".

La expresión en el temor de Dios

Una persona que realmente conoce a Dios, no sólo tiene el denuedo de dar testimonio, sino que no le teme al espíritu del anticristo, más bien teme a Dios. Por ejemplo Pablo, al realizar su obra, tomó ciertas medidas que fueron, muchas veces, prohibidas por Dios (Hch. 16:6-7). Él temía a Dios. Vemos otro ejemplo del temor que le tenía Pablo a Dios en Hechos 23:3-5, tan pronto como se le recordó que estaba reprendiendo al sumo sacerdote, él se ablandó. Esto indica que él temía a Dios.

Los que realmente conocen a Dios se ciñen los lomos de su mente (1 P. 1:13). No hay nada frívolo en sus palabras, actitud y acciones. La razón por la que están ceñidos no es porque tienen cierta fuerza, sino porque la vida que está en ellos los restringe y los limita. Ellos no sólo son así delante de otros, pues incluso cuando están solos se mantienen ceñidos. Siempre que sus palabras y sus acciones no corresponden con la vida que está en ellos, esas palabras y acciones les serán prohibidas. Además, cuando tienen contacto con Dios, ellos se ablandan.

Los que son sueltos externamente, primero son flojos internamente. Los que son sueltos, no tienen restricción, los que permanecen iguales después de ser salvos, los que son descuidados en lo que dicen y en lo que hacen, son cristianos que no temen a Dios. Aquellos que actúan de una manera delante de las personas y de otra a sus espaldas, que son de una manera en el púlpito y de otra manera en su diario vivir, son los que no tienen temor a Dios.

Temerle a Dios significa que en cualquier lugar, en cualquier momento, en cualquier actividad, no nos atrevemos a ser sueltos; interiormente mantenemos una actitud de temer a Dios. Por tanto, si alguien afirma que le pertenece a Dios, pero sus palabras y sus acciones no indican en lo más mínimo que le teme a Dios, tendríamos una preocupación genuina por esa persona. Tememos por él, porque llegará el día en que verá el rostro de Dios, pese a que hoy día no conoce a Dios en su consciencia. Hermanos y hermanas, si éste es su caso, entonces usted necesita oír la palabra de Dios: "Ahora, hijitos, permaneced en Él, para que cuando Él se manifieste, tengamos confianza, y en Su venida no nos alejemos de Él avergonzados" (1 Jn. 2:28).

Cuando consideramos el hecho de que un día veremos el rostro del Señor, ¿nos sentimos internamente con confianza? En el futuro, cuando todo esté al descubierto delante del Señor, ¿habrá algo de lo cual nos sentiremos avergonzados?

La expresión en la adoración

No hay nadie que realmente conozca a Dios, y que aún no adore a Dios. El hermano Lawrence dijo: "Adorar a Dios con veracidad es reconocer que Él es lo que es, y que nosotros somos lo que de hecho somos. Adorarle con veracidad es reconocer con sinceridad de corazón lo que Dios es en verdad; es decir, que Él es infinitamente perfecto, digno de infinita adoración e infinitamente apartado del pecado, y así también reconocemos todos Sus atributos divinos. El hombre se guía muy poco por la razón, y no emplea toda su capacidad para rendirle a este gran Dios la adoración que le corresponde".

Esto indica que únicamente la persona que realmente conoce a Dios puede adorar a Dios con veracidad. Por ejemplo, aunque el conocimiento de Dios que tuvo Jacob cuando estaba en Bet-el le hizo temer a Dios, eso sólo fue una especie de conocimiento externo. Por esta razón el voto que él hizo tenía ciertas condiciones y se relacionaba a sus propios intereses (Gn. 28:16-22). Sin embargo, cuando Jacob llegó a Peniel (32:24-32), el conocimiento que tenía de Dios era muy diferente.

Hermanos y hermanas, decimos con frecuencia que necesitamos adorar a Dios. ¿Pero cuán profundamente hemos conocido a Dios? Realmente nuestro yo ha caído postrado al suelo?

La expresión en la piedad

Los que realmente conocen a Dios expresarán a Dios. En esto consiste una vida piadosa. La piedad en sí misma es un gran misterio. Desde el tiempo en que Dios se manifestó en la carne (1 Ti. 3:16), este gran misterio ha sido revelado. ¡Oh, Jesús el Nazareno era Dios manifestado en la carne! Esta

Persona gloriosa, quien es tanto Dios como hombre, ha manifestado la vida de Dios, la cual es santa y gloriosa. Hoy, esta vida está en nosotros y también será manifestada por medio de nosotros. El propósito que tiene la ley de vida de Dios que actúa en nosotros es cumplir con este requisito. Sabemos que la piedad no es cierta clase de mortificación, sino más bien un sentir de vida. La piedad es la naturaleza de la vida de Dios. Por tanto, cuando el apóstol Pablo dijo que los que pertenecen al Señor deben seguir la justicia, la piedad, la fe, el amor, la perseverancia y la mansedumbre, él incluyó la piedad (1 Ti. 6:11).

Cuando fuimos regenerados, Dios, según Su poder divino, nos concedió todas las cosas que pertenecen a la vida y a la piedad (2 P. 1:3). Además, la piedad tiene la promesa de esta vida presente y de la venidera (1 Ti. 4:8). Sabemos que lo que el Señor nos promete es la vida eterna (1 Jn. 2:25; Tit. 1:2). Cuando creemos en el Hijo de Dios, recibimos la vida eterna (1 Jn. 5:13). Sin embargo, para expresar en nuestro vivir esta vida eterna hoy, para expresar la vida eterna en nuestros pensamientos, palabras, actitud y acciones, depende del poder con el que esta vida se mueve dentro de nosotros. Por tanto, el apóstol Pablo dijo: "Hemos puesto nuestra esperanza en el Dios viviente, que es el Salvador de todos los hombres, mayormente de los que creen" (1 Ti. 4:10).

Dentro de nosotros ya tenemos la vida piadosa de Dios, pero a fin de manifestar la naturaleza de esta vida, necesitamos ejercitarnos para la piedad (v. 7). Sabemos que temer a Dios es algo que tiene que ver con nuestra actitud. Esto significa que tememos que nuestro yo esté presente en cualquier cosa que hagamos. Tememos pecar contra Dios. Por otra parte, la piedad significa que permitimos que Dios se manifieste en todo lo que hacemos. Ejercitarnos para la piedad, por el lado negativo, significa renunciar a toda impiedad (Tit. 2:12), a las cosas que no se conforman a Dios. Por el lado positivo, necesitamos permitir que Dios se manifieste en todo. Esta clase de piedad no denota cierta clase de penitencia. Ni es cuestión de cerrar las puertas e ignorarlo todo, sino que es un asunto de permanecer en el Señor según la enseñanza de la unción, y aprender a permitir que la ley de vida haga manifestar la naturaleza de la vida de Dios en nuestra vida diaria (1 Ti. 2:2). Ejercitarnos para la piedad de esta manera es más provechoso que el ejercicio corporal.

Aunque actualmente no podemos experimentar la vida eterna por completo, si la experimentamos día tras día, llegará el día en que seremos completamente iguales a Él, cuando nuestro cuerpo habrá sido redimido, y disfrutaremos esta vida eterna en plenitud. Éste es el propósito eterno de Dios. Ésta es la gloria del nuevo pacto. Debemos alabar al Señor con un corazón lleno de anticipación.

También debemos darnos cuenta de que hay una cosa que es inevitable para todos los que quieren vivir piadosamente en Cristo Jesús. Pablo le dijo a Timoteo: "Pero tú has seguido fielmente mi enseñanza, conducta, propósito, fe, longanimidad, amor, perseverancia, persecuciones, padecimientos, como los que me sobrevinieron en Antioquía, en Iconio, en Listra. Estas persecuciones he sufrido..." (2 Ti. 3:10-11). Alguien puede pensar que Pablo no podía evitar tales persecuciones, puesto que era un apóstol; sin embargo, él añade: "En verdad todos los que quieren vivir piadosamente en Cristo Jesús padecerán persecución" (v. 12).

No sólo un apóstol no puede evitar la persecución, sino que, sin excepción, cualquier persona que se proponga vivir piadosamente en Cristo Jesús también padecerá persecución. Si en nuestra vida diaria somos un poco complacientes, un poco condescendientes, un poco acomodadizos, un poco ingeniosos y diplomáticos, sabios para protegernos a nosotros mismos, para seguir las costumbres mundanas y mezclarnos con los demás, o si transigimos en cuanto a las verdades bíblicas y hacemos concesiones con los que no están dispuestos a pagar el precio; si tratamos de agradar a otros al costo de la verdad y no buscamos la voz interior ni obedecemos el sentir interior; entonces, aunque seamos cristianos, seremos un cristiano que no padece persecución. ¿Por qué, quién nos perseguiría si somos iguales a los demás?

No debemos pensar que esos cristianos que han padecido muchas persecuciones son los que han tenido la mala suerte de haber nacido en una época equivocada y fueron destinados a encontrarse con persecuciones. Por el contrario, el hecho es que los cristianos que no sufren persecución son los que no viven piadosamente en Cristo Jesús; de otro modo, la persecución sería inevitable. Por esta razón un creyente dijo: "Los creyentes más espirituales están llenos de cicatrices; los mártires se han colocado su corona destellando con fuego". Pero no necesitamos temer, porque el Señor o nos dará el poder para que podamos soportar o nos librará de todos los sufrimientos (1 Co. 10:13; 2 Co. 1:8-10; 2 Ti. 3:11).

Aquí también necesitamos mencionar que ejercitarnos para la piedad, o vivir piadosamente en Cristo Jesús, es una búsqueda espiritual y un desbordamiento de la vida. Algunas manifestaciones de dicho ejercicio son normales y no se necesitan mencionar aquí, pero mencionaremos ciertas manifestaciones que se puedan considerar enfermizas y son defectos.

1. Pereza

Al parecer, algunos cristianos nacieron perezosos; a ellos no les gusta laborar ni trabajar. Usan la oración y las palabras espirituales para esconder su pereza. Un hermano nos contó de cierta hermana que no le gustaba hacer nada; ella se excusaba diciendo que no sabía cómo hacer las cosas o se excusaba alegando que no tenía la fuerza para hacerlas. Una vez alguien dispuso que ella recogiera algunas flores del jardín todos los días y las arreglara en un florero. Después de algunos días ella dejó de hacerlo, diciendo que eso no era espiritual. Ésta es una condición enfermiza. No es la piedad.

2. Rigidez

Algunos cristianos piensan que la piedad significa ser rígidos. Tal rigidez hace que parezcan artificiales. Un hermano conoció a alguien que siempre que decía algunas palabras, agachaba la cabeza o la levantaba para mirar al cielo; esta persona fingía ser piadosa. El hermano que contaba este incidente dijo que quería gritarle a esa persona diciendo: "¡Hermano, deja de hacer eso; es insensato!". Sabemos lo que es la vida, es algo espontáneo. Es difícil que el espíritu de una persona inflexible se exprese, así que, Dios tampoco podrá expresarse en ella. Por tanto, siempre que nos ejercitemos

para la piedad, debemos ser vivientes y frescos. Debe ser Dios
el que se expresa en nuestras palabras y en nuestra actitud.

3. Frialdad

Mencionamos anteriormente que si vivimos piadosamente
en Cristo Jesús seremos perseguidos. Esto significa que aquellos que no pecan contra Dios a fin de agradar al hombre,
padecerán persecuciones. Esto no quiere decir, sin embargo,
que sean negligentes en el amor y en la cortesía que deben
hacia los demás.

Cierta hermana se hallaba caminando en las montañas,
cuando vino otra hermana quien la saludó y le preguntó
adónde iba. Ella miró al cielo y le respondió fríamente: "Voy
a ver a Dios". No debemos considerar que una piedad auto-
impuesta y una actitud tan fría y cruel puedan alguna vez
hacer que otros se sientan atraídos a buscar a Dios.

4. Pasividad

Algunos cristianos, que admiran a Madame de Guyón y al
hermano Lawrence (quienes tenían la práctica de la presencia
de Dios), procuran practicar la piedad como ellos lo hacían.
Esto es algo que se debe respetar e incluso desear. Sin embargo, lamentablemente hay otros que cuando los imitan se
vuelven pasivos. ¿Por qué decimos que ellos aprenden a imi-
tarlos, pero se vuelven pasivos? Porque con frecuencia no pueden oír lo que otros les dicen. Es correcto hacer caso omiso de
los chismes, pero no hacer caso a las cosas importantes que
nos dicen los demás es un insulto para ellos. Los que se ejer-
citan en la piedad y se vuelven pasivos, no pueden entender
lo que otros les dicen, ni muestran preocupación alguna por los
asuntos de otros. Sin embargo, ellos consideran que están disfrutando de la presencia de Dios. Si esto fuera normal, ¿entonces cómo podía el hermano Lawrence manejar los asuntos en
medio del ruido y el estruendo que había en su entorno? Si
alguien le pedía un plato y él le daba una cuchara, si él no
pudiera oír lo que le pidieron la primera vez ni la segunda,
no sería eso una dificultad para los demás? Por tanto, debemos decir que no es normal practicar la piedad al ser pasivo.

Hermanos y hermanas, nuestro Señor es la Palabra que se

hizo carne y fijó tabernáculo entre nosotros, lleno de gracia y de realidad (Jn. 1:14). Ésta es una gran revelación de lo que es la piedad. Fue Pablo quien le dijo a Timoteo que sólo la piedad para todo aprovecha (1 Ti. 4:8), es el que dijo: "¿Quién está débil, y yo no estoy débil? ¿A quién se le hace tropezar, y yo no ardo?" (2 Co. 11:29). Él también trabajó con sus propias manos (1 Co. 4:12), y trabajó más abundantemente que todos los apóstoles (15:10). Oh, hermanos y hermanas, éste es nuestro ejemplo. Debemos sentir respeto por Pablo y aprender de él.

Un himno de oración

Ejercitarnos para la piedad es permitir que esta vida piadosa se exprese y se manifieste en un vivir piadoso, hasta que un día seamos completamente tal como Dios es. Hay un himno de oración que expresa esta búsqueda apropiadamente. Lo imprimimos aquí como nuestra oración.

¡Ser como Tú! Oh, Redentor mío,
Es mi oración y firme sentir;
Feliz renuncio a todo tesoro,
Ser como Cristo es mi gemir.

¡Ser como Tú! ¡Oh, ser como eres!
Puro y fiel, mi buen Redentor;
Ven con dulzura y en Tu abundancia;
Tu imagen graba en mi corazón.

¡Ser como Tú! El más compasivo,
Tierno, amoroso, perdonador,
Cuidando al débil, alzando al triste,
Buscando al pobre vil pecador.

¡Ser como Tú! Muy manso y valiente,
Crueles reproches pueda aguantar;
Pobre en espíritu, padeciendo,
Para que a otros pueda salvar.

¡Ser como Tú! Por eso yo vengo
A recibir la santa unción;
Lo que yo soy ahora te traigo;
Lo que yo tengo es Tuyo, Señor.

¡Ser como Tú! Y mientras te imploro,
Manda Tu Espíritu con amor.
Hazme un templo, digna morada,
Para que gane Tu aprobación.

(*Himnos*, #175)

Es necesario que Dios nos perdone y nos limpie continuamente

El poder de la vida de Dios cumplirá el propósito eterno de Dios en nosotros. Hoy día, en la tierra, tenemos la promesa de la vida de Dios que es la piedad. Esto no significa que seamos perfectos a tal punto que ya no necesitamos de la confesión, del perdón de Dios y del lavamiento de la sangre preciosa. ¡No! Debemos leer Hebreos 8:12 otra vez: "Seré propicio a sus injusticias, y nunca más me acordaré de sus pecados".

En el capítulo 6 de este libro indicamos que en este versículo debemos prestar atención a la palabra *porque*. Ésta es muy importante debido a que demuestra el hecho de que Dios sea propicio a nuestras injusticias y que nunca más se acuerde de nuestros pecados es sólo la causa; pero, el hecho de que Dios imparta Sus leyes en nuestra mente y que las escriba sobre nuestros corazones, y que llegue a ser nuestro Dios en la ley de vida y que haga de nosotros Su pueblo en la ley de vida es para este propósito: que tengamos un conocimiento más profundo de Él. Conocer a Dios es el propósito, así que se menciona primero, pero el perdón de pecados es el procedimiento, por lo que se menciona después.

Encontramos un caso similar en Efesios 1. Primero, el versículo 5 nos dice que Dios nos escogió "predestinándonos para filiación por medio de Jesucristo para Sí mismo", porque este es el propósito. Después, el versículo 7 menciona que "tenemos redención por Su sangre, el perdón de los delitos", porque este es el procedimiento.

Antes de que Dios pueda darnos Su vida, Él debe perdonarnos y limpiarnos de nuestros pecados. Esto también indica que después de poseer la vida de Dios, si cometemos algún pecado y no tomamos medidas al respecto, éste impedirá el crecimiento de esta vida. Por tanto, a fin de que la vida de

Dios se mueva dentro de nosotros sin impedimento, no debemos tolerar el pecado. El pecado se debe confesar a Dios y debemos obtener el perdón. También es posible que debamos confesar a otros y pedirles que nos perdonen. No debemos pensar que podemos ejercitarnos para la piedad a tal punto que ya no necesitaremos recibir el perdón de Dios o el lavamiento de la preciosa sangre. Por el contrario, cuanto más conocemos a Dios, más nos percatamos de nuestra pobre condición y más confesamos ante Dios, procurando obtener Su perdón, y más experimentamos el lavamiento de la sangre. Esos cristianos, a quienes consideramos como los más santos, son con frecuencia los que han derramado más lágrimas delante de Dios. Porque es en la luz de Dios que vemos la luz (Sal. 36:9), y en la luz de Dios vemos nuestra verdadera condición. Nuestra carne y nuestro yo, los cuales permanecen ocultos, quedan al descubierto en la luz de Dios. En ese momento realmente le diremos a Dios: "Confesaré mi maldad / y me entristeceré por mi pecado" (Sal. 38:18). También le diremos a Dios: "¿Quién puede discernir sus propios errores? / Líbrame de los que son ocultos / Preserva también a tu siervo de las soberbias [...] ¡Sean gratos lo dichos de mi boca / y la meditación de mi corazón delante de Ti, / Jehová, roca mía, y redentor mío! (19:12-14).

Un siervo de Dios una vez dio una palabra sobre 1 Juan 1, indicando que la vida necesita comunión y que también introduce la comunión, la comunión trae luz, y la luz requiere de la sangre. Aquí observamos una serie de experiencias. Si una persona tiene vida, buscará la comunión; cuando tiene comunión, verá la luz; y cuando vea la luz, buscará la sangre. Estos cuatro asuntos no sólo componen una serie; también existe entre ellos una relación de causa y efecto. La vida nos lleva a tener comunión, y la comunión nos imparte vida. La comunión causa que nosotros veamos la luz, y la luz nos introduce en una comunión más profunda. La luz nos lleva a buscar el lavamiento de la sangre, y el lavamiento de la sangre permite que veamos la luz más claramente. Estos cuatro elementos no sólo guardan una relación de causa y efecto, sino que también forman un ciclo: la vida nos trae a la comunión; la comunión hace que veamos la luz; la luz nos lleva a que recibamos el lavamiento de la sangre; y después que la sangre nos lava, recibimos más vida. Al recibir más vida, tenemos más comunión, y cuando tenemos más comunión vemos más luz; entonces al ver más luz, experimentaremos más el lavamiento de la sangre. Estos cuatro asuntos se repiten en un ciclo. Cuando experimentamos este ciclo, continuamos avanzando en vida. Tal como un automóvil por el girar continuo de sus ruedas, así también la experiencia que tenemos de estos cuatro asuntos es como el girar de las ruedas. Cada vez que se completa un ciclo, avanzamos cierta distancia en vida. Cuando concluye otro ciclo, nos conduce un poco más adelante. A medida que pasamos un ciclo tras otro, seguimos creciendo en la vida de Dios. Si en cierto momento nos detenemos y dejamos de experimentar este ciclo, también estaremos detenidos en nuestro crecimiento en la vida de Dios. Éstas son las palabras de alguien que realmente conocía a Dios y que conocía la Palabra de Dios.

Por tanto, hermanos y hermanas, es en la ley de vida y en la intuición que conocemos a Dios. Éste es un asunto muy práctico. Para adquirir este conocimiento no requerimos de la enseñanza de otros en absoluto. Éste es el clímax del nuevo pacto. Ésta es también la gloria del nuevo pacto. ¡Aleluya! Aquí debemos alabar a Dios y adorarle.

UNA PALABRA DE CONCLUSIÓN

Hemos hablado mucho acerca de las características del nuevo pacto. Sin embargo, para realmente conocerlo y entenderlo, debemos recibir tanto la revelación como la iluminación del Espíritu Santo. Recordemos que la letra mata, mas el Espíritu vivifica (2 Co. 3:6). El Señor dijo: "El Espíritu es el que da vida; la carne para nada aprovecha" (Jn. 6:63). Aparte del Espíritu Santo nada puede vivificar al hombre.

El nuevo pacto es una excelsa gracia; es tan rico y tan glorioso. Por lo tanto, necesitamos pedirle a Dios que nos dé fe. ¿Qué es la fe? Hebreos 11:1 dice: "Ahora bien, la fe es lo que da sustantividad a lo que se espera, la convicción de lo que no se ve". Ésta es la definición de la fe que encontramos en las Escrituras. ¿Qué significa "sustancia"? En el griego significa un fundamento, un cimiento o base de sustentación. Por ejemplo, si ponemos un libro sobre un estante, el estante es el que sostiene al libro. Si nos sentamos en una silla, la silla es lo que nos sirve de apoyo. La palabra convicción tiene un sentido de comprobar, y tiene la naturaleza de un verbo. La fe sustenta las cosas que esperamos, lo cual permite que nuestro corazón halle reposo. La fe que tenemos en nuestro interior es lo que comprueba lo que no se ve, de modo que nuestro corazón puede decir "amén" a las palabras que Dios ha hablado. La fe es el fundamento o la base de sustentación que sirve de soporte a las cosas que se esperan; la fe es la prueba de lo que no se ve. En 2 Corintios 1:20 dice: "Para cuantas promesas hay de Dios, en Él está el Sí, por lo cual también a través de Él damos el Amén a Dios, para la gloria de Dios, por medio de nosotros". Por lo tanto, no nos miramos a nosotros mismos, sino a Él, a Cristo. Su sangre es la base del nuevo pacto. Él nos ha legado toda la herencia espiritual, y Él también es el albacea del testamento, o última voluntad. ¿Qué puede ser más seguro que esto?

Dios es fiel (He. 10:23). La fidelidad de Dios es la garantía de Sus promesas, y la garantía de Su pacto (Dt. 7:9; Sal. 89:33-34). Si no creemos, ofendemos la fidelidad de Dios y lo consideramos como un mentiroso. Por tanto, cuando se nos hace difícil creer, por una parte, necesitamos condenar la incredulidad como pecado y pedirle al Señor que nos quite el corazón malo de incredulidad (He. 3:12); por otra, necesitamos poner los ojos en Jesús, el Autor y Perfeccionador de nuestra fe (12:2). Puesto que fue el Señor quien ha creado la fe inicial en nosotros (Ef. 2:8; 1 Ti. 1:14; 2 P. 1:1), creemos que Él también ha de perfeccionar esta fe. ¡Oh, el nuevo pacto es bendito y glorioso! No esperemos hasta que sea demasiado tarde para creer. Si nos hemos arrepentido y hemos derramado lágrimas tantas veces es porque somos tan pobres. Debemos admitir que hemos limitado demasiado a Dios y que nos falta mucho para alcanzar la norma del nuevo pacto.

Muchas veces, hermanos y hermanas, el problema no es que no busquemos, sino en que buscamos de la manera incorrecta. Esto es vergonzoso. Estamos demasiado afianzados a la letra y dependemos demasiado de nosotros mismos. Por esta razón nos afanamos y luchamos, pero el resultado es sólo un suspiro de dolor. El siguiente himno nos ayudará a recordar que no debemos buscar más de la manera incorrecta.

No es por que yo luche,
Sino por que cedo,
Pues de mis labores descanso
Las cargas caerán.
No es que me proponga
Sino que a Ti escuche,
Para el pecado dejar,
Y de esclavitud salir.

No es por medio de la letra,
Sino por el Espíritu
Que aprovado seré,
Y Tu vida de bendición compartiré.
No es por la enseñanza del hombre,
Sino por la Santa Unción
Que impartes luz divina
Y Tu comunión con Dios.

No es que me proponga
Y ahora la carrera corra,
Sino es por Tu misericordia
Que Tu gracia yo recibo.
No es por que yo sepa,
Sino solo por la gracia
Que por sufrimientos puedo pasar
Y a la imagen Tuya crecer.

No es por frases lindas
Sino por Tu poder,
Que al perdido puedo conducir
A Tu vida divina.
No es por mi inteligencia,
Sino por Tu Espíritu Señor,
Pues solo El puede hacerme
Que Tu palabra pueda cumplir.

(*Hymns,* #751)

En conclusión, ejercitemos nuestro corazón para leer dos

pasajes de las Escrituras, y así expresarles algo que es nuestro profundo anhelo y el deseo de nuestro corazón. El primero es Hebreos 13:20-21 que dice: "Ahora bien, el Dios de paz que resucitó de los muertos a nuestro Señor Jesús, el gran Pastor de las ovejas, en virtud de la sangre del pacto eterno, os perfeccione en toda obra buena para que hagáis Su voluntad, haciendo Él en nosotros lo que es agradable delante de Él por medio de Jesucristo; a Él sea la gloria por los siglos de los siglos. Amén". El segundo pasaje es Efesios 3:20-21: "Ahora bien, a Aquel que es poderoso para hacer todas las cosas mucho más abundantemente de lo que pedimos o pensamos, según el poder que actúa en nosotros, a Él sea gloria en la iglesia y en Cristo Jesús, en todas las generaciones por los siglos de los siglos. Amén".

OTROS LIBROS PUBLICADOS POR
Living Stream Ministry

Títulos por Witness Lee:

La experiencia de vida	978-0-87083-632-9
El conocimiento de la vida	978-0-87083-917-7
El árbol de la vida	978-1-57593-813-4
La economía de Dios	978-0-87083-536-0
La economía divina	978-0-87083-443-1
La economía neotestamentaria de Dios	978-0-87083-252-9
Cristo es contrario a la religión	978-0-7363-1012-3
El Cristo todo-inclusivo	978-0-87083-626-8
La revelación básica contenida en las santas Escrituras	978-1-57593-323-8
La revelación crucial de la vida hallada en las Escrituras	978-1-57593-811-0
El Espíritu con nuestro espíritu	978-0-7363-0259-3
La expresión práctica de la iglesia	978-0-87083-905-4
La especialidad, la generalidad y el sentido práctico de la vida de iglesia	978-0-87083-123-2
La carne y el espíritu	978-0-87083-793-7
Nuestro espíritu humano	978-0-87083-259-8
La autobiografía de una persona que vive en el espíritu	978-0-7263-1126-7
La preciosa sangre de Cristo (folleto)	978-0-7363-0228-9
La certeza, seguridad y gozo de la salvación (folleto)	978-0-7363-0991-2
Los vencedores	978-0-87083-724-1

Títulos por Watchman Nee:

Cómo estudiar la Biblia	978-0-7363-0539-6
Los vencedores que Dios busca	978-0-7363-0651-5
El nuevo pacto	978-0-7363-0064-3
El hombre espiritual	978-0-7363-0699-7
La autoridad y la sumisión	978-0-7363-0987-5
La vida que vence	978-1-57593-909-4
La iglesia gloriosa	978-0-87083-971-9
El ministerio de oración de la iglesia	978-1-57593-908-7
El quebrantamiento del hombre exterior y la liberación del espíritu	978-1-57593-380-1
El misterio de Cristo	978-1-57593-395-5
El Dios de Abraham, de Isaac y de Jacob	978-1-57593-377-1
El cantar de los cantares	978-1-57593-956-8
El evangelio de Dios (2 tomos)	978-1-57593-940-7
La vida cristiana normal de la iglesia	978-0-87083-495-0
El carácter del obrero del Señor	978-0-7363-3278-1
La fe cristiana normal	978-0-87083-779-1

Disponibles en
librerías cristianas o en Living Stream Ministry
2431 W. La Palma Ave. • Anaheim CA 92801
1-800-549-5164 • www.livingstream.com